Mar a chuala mise e

Air innse le Màiri Kidd

Na dealbhan le Nicola O'Byrne

Rewarding Learning

Stòrlann
Nàiseanta na Gàidhlig

'S e cruinneachadh de thionndaidhean air sgeulachdan traidiseanta à Èirinn, Alba agus an còrr dhen t-saoghal a tha ann an *Mar a chuala mise e'*. Tha an cruinneachadh stèidhichte air an dlùth-cheangal chultarach a tha eadar an dà dhùthaich, agus tha e cuideachd a' nochdadh gu bheil sgeulachdan traidiseanta rim faighinn air feadh an t-saoghail. Chaidh an cruinneachadh a thoirt còmhla mar cho-obrachadh eadar Stòrlann Nàiseanta na Gàidhlig, air a bheil uallach airson goireasan foghlam Gàidhlig ann an Alba, agus a' Chomhairle airson Curraicealam, Deuchainnean & Measadh air a bheil uallach airson goireasan foghlam Gaeilge ann an Èirinn a Tuath.

Thug gach buidheann coimisean do sgrìobhadairean aig a bheil èolas farsaing air a' chuspair agus air cànan na dùthcha. B' e Màiri Kidd a sgrìobh cruinneachadh Gàidhlig na h-Alba, agus sgrìobh Sean McCorraidh cruinneachadh Gaeilge na h-Èirinn.

Air fhoillseachadh ann an 2011 le:

Stòrlann Nàiseanta na Gàidhlig
11/12 Acarsaid
Cidhe Sràid Chrombail
Steòrnabhagh
Eilean Leòdhais
HS1 2DF
www.storlann.co.uk
oifis@storlann.co.uk

Comhairle airson Curraicealam, Deuchainnean & Measadh
29 Rathad Clarendon,
Cidhe Clarendon,
Béal Feirste
BT1 3BG
www.ccea.org.uk

ISBN: 978-1-907054-41-9
Tha Stòrlann Nàiseanta na Gàidhlig a' faighinn taic bho Bhòrd na Gàidhlig.

Clàr-innse

Ro-ràdh

Ann an àite sam bith sa bheil daoine, bidh sgeulachdan. Tha sgeulachdan cudromach dhuinn agus, ann an cuid de dhòighean, tha iad car coltach rinn cuideachd...

Tha cnàmhan aig sgeulachdan, agus feòil, agus air uaireannan, fuil. 'S iad na cnàmhan na rudan a thachras a h-uile turas a bhios an sgeulachd air a h-innse. Smaoinich air Cinderella – 's iad na cnàmhan an nighean bhochd le muime agus peathraichean mosach, am bàl agus am prionnsa, a' bhana-bhuidseach, an riaghailt mu mheadhan-oidhche agus a' bhròg chaillte.

Tha an fheòil a' dol air na cnàmhan gus an sgeulachd a thoirt beò. Cho grànda 's a tha na peathraichean, cho àlainn 's a tha Cinderella, cho brònach 's a tha am Prionnsa nuair a theicheas i. Tha gach sgeulaiche a' cur feòil rud beag diofraichte air na cnàmhan.

Tha an fhuil ann an Cinderella a' tighinn nuair a ghearras na peathraichean an òrdagan dhiubh feuch an tèid a' bhròg orra fhèin an àite Cinders bhochd. Aobh!

Cha leig thu leas a bhith nad sgeulaiche 'ceart' gus feòil a chur air cnàmhan sgeulachd (no fuil a chur innte). Bidh sinn uile ga dhèanamh fad an t-siubhail.

"Dh'ith an cù an obair-dachaigh agam", mar eisimpleir. No "chan eil fhios a'm cà 'n deach an teòclaid".

Tha sgeulachdan beaga ann, is sgeulachdan mòra, sgeulachdan cudromach is sgeulachdan faoin. Bheir feadhainn dhiubh gàire ort, agus bheir feadhainn eile deòir bho do shùilean.

Bidh na sgeulachdan as fheàrr a' siubhal air feadh an t-saoghail, ann an leabhraichean no air bilean dhaoine. Thàinig sgeulachdan a dh'Alba is a dh'Èirinn o chionn mìle bliadhna an lùib nan Lochlannach, mar eisimpleir, is dh'fhalbh iad air ais an taobh eile. 'S dòcha gun lorg thu feadhainn dhe na sgeulachdan sin anns a' chruinneachadh seo fhèin.

'S e an dòigh as cudromaiche anns a bheil sgeulachdan coltach rinn, ge-tà, gum bi iad ag atharrachadh fad an t-siubhail, oir 's e rudan beò a th' annta. Faodaidh duine sam bith an togail, feòil ùr a chur orra, is an innse. Siuthad fhèin – tha fios againn uile mar a bhios iad a' tòiseachadh:

Bha siud ann reimhid...

Mochua agus na Trì Seòid

Sgeulachd à Èirinn

Cha robh sùim aig Naomh Mochua do dh'airgead no òr. B' iad na trì rudan bu phrìseile dha air an t-saoghal luchag is cuileag is coileach. 'S e 'na Trì Seòid' a bh' aige orra.

Bhiodh an coileach a' gairm sa mhadainn gus Mochua a dhùsgadh aig àm ùrnaigh.

Bhiodh an luchag a' bìdeadh a chluaise airson a chumail na dhùisg fhad 's a bha e ag obair.

Bhiodh a' chuileag a' leantainn a chorraig fhad 's a bha e a' leughadh agus dh'fhanadh i far an stadadh e gus am faigheadh e an t-àite a-rithist nuair a thilleadh e.

Nuair a fhuair na Trì Seòid aig Mochua bàs, bha Mochua air leth brònach. Bha e cho brònach agus gun do sgrìobh e litir gu Naomh Calum Cille ag innse dha mu na Seòid.

Sgrìobh Calum Cille litir air ais ag innse do Mhochua nach robh e fhèin a' meas gum bu chòir do dhuine naomh cus ùine a chaitheamh a' smaointinn air rudan mar chuileagan is luchagan is choilich, seach rudan naomha.

Saoil an robh Calum Cille a' smaointinn gun robh Mochua car amaideach, bog?

5

A' Mhaighdeann-Mhara

Sgeulachd à Èirinn

Bha siud ann reimhid ann an Tìr Chonaill ann an iar-thuath na h-Èireann fear air an robh Liam Òg. Bha Liam Òg a' fuireach ann am baile beag ri taobh na mara ach cha b' e iasgair a bh' ann, no seòladair, no croitear. Bhiodh Liam a' cur seachad a làithean shìos air an tràigh 's e a' lorg rudan a bh' air tighinn air tìr, dubhain iasgaich is tarragan iarainn is pìosan meatailt eile. Cha robh e idir beairteach, ach cha robh e bochd na bu mhotha, agus bha e cho sona ri bròig.

Cha chumadh sìde sam bith Liam am broinn an taighe. Nam biodh latha grianach ann, 's ann a rachadh e mach agus lèine aotrom air. Nuair a thigeadh an dìle bhàthte as t-earrach, bhiodh e a' falbh ann an oillsgin mhòr. Nuair a thigeadh cur is cathadh sa gheamhradh, bhiodh sgarf mu amhaich is bonaid air a cheann.

Cha robh dad na b' fheàrr le Liam air thalamh na gainmheach na tràghad a bhith fo chasan. Cha robh fuaim a b' fheàrr leis air an t-saoghal na ceòl na mara. Cha robh sealladh a b' fheàrr leis fon ghrèin na na tuinn a' tighinn gu tràigh.

Aon latha bha Liam a' togail fhaochagan air na creagan pìos a-muigh on tràigh nuair a chunnaic e boireannach àlainn a' coiseachd às a' mhuir. Bha cùl a' bhoireannaich ri Liam agus chan fhaca ise idir e. Sheas i air creig agus thug i dhith an cleòca mòr, brèagha a bh' oirre. Shìn i an cleòca air a' chreig agus choisich i suas don dùn a bha ri taobh na tràghad.

Mura faca am boireannach Liam, chunnaic Liam am boireannach. Sheas esan diog na stob reòite ach an uair sin thill an comas gluasaid aige thuige agus choisich e a-null far an robh an cleòca air a' chreig. Thog e e agus thug e sùil air. Àlainn 's gun robh cuid dhe na rudan a lorg e air an tràigh roimhe, chan fhaca e riamh sìon coltach ris. Bha e coltach ri rud beò. Ri airgead-beò.

Ged a bha fhios aig Liam, a bh' air sgeulachdan nan seann daoine a chluinntinn iomadach uair roimhe, nach biodh e air chomas don bhoireannach tilleadh don mhuir às aonais a' chleòca, chuir e fo achlais e agus ruith e dhachaigh leis. Chaidh na faochagan air dìochuimhne.

Nuair a thill am boireannach air ais chun na tràghad, chunnaic i nach robh an cleòca far an do dh'fhàg i e air a' chreig. Thug i sùil mu chuairt agus chunnaic i fireannach òg a' dol à sealladh air cùl an dùin. Thòisich i ga leantainn. Bha Liam na bu luaithe, ge-tà, agus mun àm a ràinig ise an taigh, bha e air an cleòca a chur am falach. Ghnog am boireannach air an doras agus leig Liam a-steach i.

Ged a bha am boireannach ag iarraidh an cleòca fhaighinn air ais sa bhad gus an tilleadh i don mhuir, rinn Liam Òg còmhradh cho sunndach, dòigheil rithe agus gun do dh'aontaich i fuireach gus an dèanadh e grèim bìdh dhaibh. Chùm iad a' còmhradh fad an fheasgair sin, agus fad na h-oidhche, agus fad an ath latha. Cha do sguir iad a chòmhradh fad ùine cho fada agus gun do roghnaich am boireannach fuireach còmhla ri Liam Òg anns an taigh. Phòs iad agus rugadh dithis ghillean agus nighean dhaibh.

A rèir a h-uile coltais, bha an cleòca air a dhol air dìochuimhne.

Cha b' urrainn do Liam dìochuimhneachadh mun rud a rinn e, ge-tà. Bha eagal a' bhàis air gun lorgadh a bhean no a' chlann an cleòca agus gum biodh an saoghal sona aca air a sgaradh às a chèile. Cha bhiodh Liam a' dol chun na tràghad a leth cho tric a-nis, oir b' fheàrr leis fuireach aig an taigh a chumail sùil air an àite-falaich san robh an cleòca. Bhiodh e ga shìor-ghluasad bho àite gu àite, bho chruach gu cruach, bho phreas gu preas, bho chliabh gu cliabh. Mu dheireadh lorg e àite anns an tughadh a bha e a' saoilsinn a bha cho math agus gum biodh an cleòca sàbhailte ann gu bràth. Bha e an uair sin na bu dhòigheile agus thòisich e a' dol a-mach às an taigh don chladach a-rithist mar a b' àbhaist.

Aon latha, cha robh aig an taigh ach bean Liam agus a' chlann. Chaidh a' chlann a-mach a chluich ach an uair sin thàinig an gille a b' òige air ais a-steach.

"A mhàthair," ars esan, "chunna mise m' athair a' cur rudeigin àlainn am falach fon tughadh an-dè."

"Am faca, a ghaoil?" ars a mhàthair. "Dè an rud a bh' ann?"

"An t-aodach a bu bhòidhche a chunnaic thu riamh," ars esan. "Air dath airgid. Airgead-beò."

Bha fhios aig a mhàthair a-nis dè bh' ann.

"Saoil an seall thu dhomh e?" dh'fhaighnich ise dha. "Bheil fhios agad càit a bheil e?"

"Tha," ars esan, "Nach fhaca mi m' athair ga chur am falach?"

Dh'fhalbh an dithis aca a-mach. Chaidh iad a-null chun na bàthcha agus sheall an gille dha mhàthair an t-àite fon tughadh anns an do chuir athair an cleòca. Fhuair iad àradh agus thug iad an cleòca a-nuas. Thug iad air ais a-steach e.

"Na can thusa, nis, guth rid athair," ars ise ris. "Oir tha fhios gur e preusant a bh' ann agus nach robh e ach a' feitheamh airson an àm cheart mus toireadh e dhomh e."

Chuir ise an uair sin an cleòca am falach an àite am broinn an taighe gus am biodh e aice ri làimh nuair a bhiodh an t-àm ann falbh air ais don mhuir. Bha fhios aice le cinnt gur e sin a dhèanadh i; cha robh i ach a' feitheamh ris an àm cheart i fhèin.

Thill Liam Òg feasgar agus thòisich a bhean air dinnear a dhèanamh dha. Shuidh Liam aig a' bhòrd agus dh'fhuirich e. Dh'fhuirich e, agus dh'fhuirich e, agus dh'fhuirich e na b' fhaide, ach cha tàinig an dinnear sin riamh. Chuir a bhean uimpe an cleòca agus dh'fhalbh i a-mach às an taigh agus air ais chun na mara.

Chan fhaca Liam Òg, no a chuid chloinne a-rithist i, a-chaoidh tuilleadh.

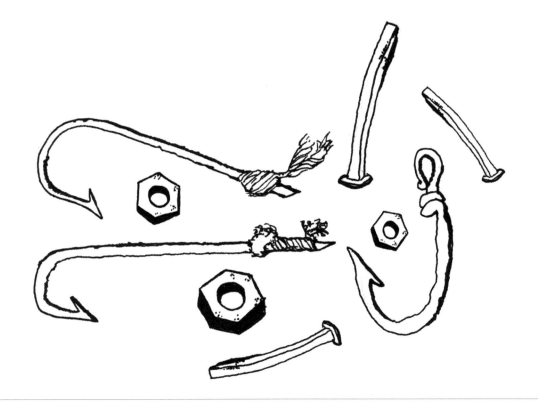

Oisean às dèidh na Fèinne

Sgeulachd à Èirinn

O chionn fhada an t-saoghail bha sliochd de dhaoine mòra, treuna ann an Alba air an robh na Fianna. Bhiodh iad a' siubhal air feadh na Gàidhealtachd agus air ais 's air adhart eadar Alba is Èirinn a' sealg is a' sabaid. Air an oidhche cha robh a dhìth orra ach òl is ceòl is còmhradh. Nuair a thigeadh iad cruinn mun teine, 's e Oisean, mac Fhinn MhicCumhaill, a chumadh òrain is bàrdachd riutha. Bhiodh Oisean ag aithris bàrdachd a bheireadh togail don cridhe, 's a' gabhail òrain a bheireadh deòir on sùilean, is uaireannan ag innse dhaibh sgeulachdan goirseachail a chumadh an cadal bhuapa nuair a rachadh iad a laighe san dorchadas.

Aon latha bha Oisean agus cuid eile dhen Fhèinn a' ròstadh èisg air teine ri taobh loch mhòr nuair a chuala iad marcaiche a' tighinn. Nuair a thàinig an t-each na b' fhaisge, chunnaic iad gur e boireannach a bh' air a mhuin – am boireannach a bu bhòidhche a chunnaic duine aca nam beatha.

Thàinig am boireannach a-nuas agus thug i ceum nam measg.

"Is mise Niamh," ars ise "agus 's ann do Thìr nan Òg a bhuineas mi. Thàinig mi a shireadh duine am measg na Fèinne a phòsas mi. Tha rìgh a dhìth oirnn anns an tìr sin agus tha iad ag ràdh nach eil fir nas treise no nas calma air an t-saoghal na Fianna Fhinn MhicCumhaill."

Cho luath agus a chunnaic Oisean am boireannach agus a chuala e na faclan aice, bha fhios aige gur e e fhèin a phòsadh i. Bha miann mòr aige a dhol a dh'fhaicinn Tìr nan Òg, far nach bi duine a' fàs sean is far nach eil duine eòlach air gainnead no dìth. Dh'èirich e na sheasamh.

"Pòsaidh mise thu," ars esan. Rug e air làimh oirre agus rinn Niamh gàire.

Bha an còrr dhen Fhèinn gu math brònach oir cha robh duine eile nam measg a bha cho math air sgeulachdan innse, no air òrain is bàrdachd a dhèanamh 's a bha Oisean. Ach thuig iad gun robh gaol mòr aige air Niamh agus mar sin 's ann le aighear is mireadh a chùm iad a' bhanais agus a leig iad soraidh leis a' chàraid òg is iad a' tilleadh a Thìr nan Òg.

Bha Tìr nan Òg dìreach mar a gheall Niamh, agus fiù 's na b' fheàrr. Bha a roghainn de bhiadh is de dheoch aig a h-uile duine. Cha robh tinneas no gort ann. Bha measan a' fàs air na craobhan, bha fàileadh feòla is arain air feadh an àite agus cha robh spòrs no cur-seachad nach robh ri fhaighinn. Airson ùine mhòr cha robh duine fon ghrèin a bha na bu shona na bha Oisean còmhla ri Niamh anns an tìr iongantaich ùir.

An ceann greis, ge-tà, dh'fhàs Oisean car sàmhach. Chunnaic

Niamh gun robh rudeigin a' cur air agus thàinig i far an robh e.

"Chan e tìr a tha seo anns am bu chòir do dhuine a bhith brònach," ars ise.

Cha tuirt Oisean sìon. Rinn Niamh gàire coibhneil.

"Tha fhios a'm dè tha a' cur ort, Oisein. Tha thu ag ionndrainn d' athar agus do chàirdean."

Ghnog Oisean a cheann. "Tha. Tha mi ag ionndrainn Fhinn agus na Fèinne gu mòr. Ach bha fhios a'm nuair a thàinig mi an seo gum feumainn am fàgail air chùl."

Ach chunnaic Niamh cho brònach 's a bha Oisean agus e ag ràdh seo agus ghabh i truas ris.

"Bheir mi dhut each," ars ise. "An t-each geal agam fhèin. Tha esan air chomas do thoirt a dh'Èirinn, far an do dh'fhàg thu na Fianna, agus air ais an seo. Ach chan eil duine eile air chomas siubhal eadar an dà shaoghal. Fuirich air a mhuin; ma chuireas tu cas air talamh anns an t-saoghal eile, cha toir thu a-mach Tìr nan Òg a-chaoidh tuilleadh. Cuimhnich air sin."

"Cuimhnichidh," ars Oisean. "Tillidh mi thugad, Niamh."

Mar sin, leig Oisean soraidh le Niamh fad greis agus chaidh e air muin an eich airson a dhol don t-saoghal eile. Ach nuair a ràinig e Èirinn, 's gann gun do dh'aithnich e i. Cha robh sgeul air na Fianna. Bha na daoine a bh' ann beag, meanbh an taca ris na fir mhòra, làidir a b' aithne dha fhèin.

Thuig Oisean an uair sin gu bheil tìm gu tur diofraichte ann an Tìr nan Òg. Bha deich bliadhna air a dhol seachad an sin agus bha trì cheud bliadhna air a dhol seachad ann an Èirinn. Bha na Fianna air falbh o chionn fhada. Cha robh cuimhn' aig duine orra ach ann an sgeulachdan.

Le cridhe trom, thionndaidh Oisean agus chaidh e air ais don loch far am faigheadh e a Thìr nan Òg. Ri taobh an rathaid chunnaic e triùir fhireannach a' feuchainn ri clach mhòr a thogail. Bha iad ro bheag agus bha a' chlach ro throm agus ghabh Oisean truas riutha. Chrom e sìos airson an cuideachadh ach leis a sin, nach ann a thuit e far an eich.

Cho luath 's a dh'fhairich Oisean talamh na h-Èireann fo chasan, theich an t-each don loch agus chuimhnich Oisean air a' ghealladh a thug e do Niamh. Sheall na fir ris le iongantas, agus an uair sin le uabhas, oir bha fhalt a' liathadh agus a chraiceann a' fàs tioram agus a dhruim a' crùbadh fa chomhair an sùilean. Thog na fir e agus thug iad do bhothan beag faisg air làimh e agus chuir iad a dh'iarraidh sagart dha. Nuair a chuala e sin, thuig Oisean gun robh e air leabaidh a bhàis.

Thàinig manach òg air an robh Pàdraig a bheannachadh Oisein agus dh'inns Oisean dha mu Fhionn is na Fianna is mu Thìr nan Òg. An uair sin dhùin a shùilean airson an turais mu dheireadh.

Tha cuimhn' againn fhathast air a' mhanach òg a bheannaich Oisean – Naomh Pàdraig na h-Èireann. Tha cuideachd cuimhn' againn air Oisean agus air mar a thachair dha ann an Tìr nan Òg. Chun an latha an-diugh, nuair a tha duine a' faireachdainn aonaranach ann an àite ùr, no nach eil caraidean no càirdean

faisg air làimh, bidh e ag ràdh gu bheil e a' faireachdainn mar
'Oisean às dèidh na Fèinne' – air chall mar a bha Oisean nuair a
thàinig e dhachaigh agus a lorg e nach robh a chàirdean ann.

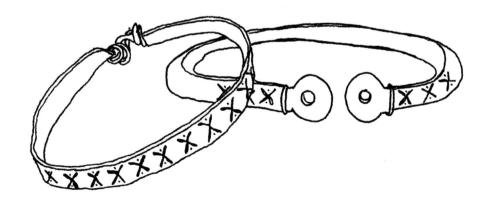

Labhraidh Loingseach

Sgeulachd à Èirinn

O chionn fhada an t-saoghail bha Èirinn air a roinn ann an diofar rìoghachdan beaga. Bha rìgh no banrigh aig a h-uile rìoghachd agus chuir iad seachad tòrr den ùine aca a' sabaid agus a' trod agus a' cur cogadh is cath ri chèile.

'S e Labhraidh Loingseach an t-ainm a bh' air fear dhe na rìghrean seo. 'S e duine làidir, fearail a bh' ann an Labhraidh, a bh' air cliù a chosnadh dha fhèin ann an arm na Frainge mus do thill e dhachaigh a riaghladh ann an Èirinn.

Bha aon rud mu Labhraidh a bha car neònach ge-tà. Cha bhiodh e a' gearradh fhuilt ach aon turas gach bliadhna, air a' chiad latha dhen earrach. Rachadh fios a chur air fireannach air choreigin a thighinn a ghearradh falt an rìgh, thigeadh an duine sin don dùn agus an uair sin chan fhaicte e a-chaoidh tuilleadh.

Aon bhliadhna, chaidh fios a chur air mac banntraich a dhol a ghearradh falt an rìgh. Nuair a chuala a mhàthair an naidheachd seo, thuirt i gun rachadh i a dh'fhaicinn an rìgh.

"Tha fhios gur ann a' marbhadh nam fear sin a bhios e," ars ise. "Cha leig mi leis sin a dhèanamh ortsa."

Nuair a thàinig a' bhanntrach don t-seòmar san robh an rìgh na shuidhe, chaidh i sìos air a glùinean air a bheulaibh.

"Chan eil agam san t-saoghal," ars ise, "ach aona mhac beò. Ge b' e air bith a dh'iarras sibhse air a dhèanamh, nì e sin. Ach às a dhèidh sin, nach leig sibh leis tilleadh dhachaigh gu mhàthair bhochd na seann aois?"

Nise, bha a' bhanntrach ceart. Bhiodh Labhraidh a' marbhadh nam fear a ghearradh fhuilt dha. Ach nuair a chunnaic e cho troimh-a-chèile agus a bha a' bhanntrach, 's ann a ghabh e truas rithe agus thuirt e rithe gun leigeadh e le a mac tilleadh dhachaigh thuice.

"Fhad 's nach inns e," ars esan, "do dhuine beò mu na chì e anns an dùn."

"Chan inns," ars ise. "Mo làmh-sa dhuibh."

Sin mar a thachair. Chaidh an gille don dùn agus gheàrr e falt an rìgh. Thill e dhachaigh an oidhche sin fhèin agus bha sunnd is aoibhneas ann an taigh na banntraich. Mar a chaidh na làithean is na seachdainean is na mìosan seachad, ge-tà, bha mac na banntraich a' sìor fhàs bochd. Mu dheireadh, bha e cho bochd agus gur gann a dh'èireadh e às an leabaidh.

"Dè tha a' cur ort?" dh'fhaighnich a mhàthair dha aon oidhche. "Nach eil sìon ann a nì mi dhut?"

Cha do fhreagair an gille i ach thionndaidh e aodann ris a' bhalla.

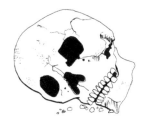

Sheas a' chailleach greis a' coimhead cùl a chinn agus an uair
sin chuir i oirre a cleòca agus chaidh i far an robh draoidh, no
duine glic.

"Bhon a tha thu air innse dhomh," thuirt an draoidh rithe, "tha e
coltach gu bheil uallach uabhasach air ri linn rùn dìomhair an rìgh."
"Sin a bha mi fhèin a' smaointinn," thuirt a' chailleach. "Ach dè am
fuasgladh a th' ann dha ma-thà? Chan fhaod e guth a ràdh mun a
sin. Sin a thuirt an rìgh; chan fhaod e innse do dhuine beò mar a
thachair, no cuiridh an rìgh gu bàs e."

"Gu dearbha," thuirt an draoidh, "sin a thuirt an rìgh. Thuirt e
nach fhaodadh e innse do dhuine beò. Cha tuirt e nach fhaodadh e
innse idir. Thig mise còmhla riut a dh'fhaicinn do mhic agus innsidh
mi dha dè nì e."

Ann an taigh na caillich, thug iad air a' ghille èirigh agus chuir iad
uime a chuid aodaich agus thug iad a-mach às an taigh e.

"Coisich thusa nis," thuirt an draoidh, "chun an àite far a bheil
ceithir rathaidean a' tighinn ri chèile. Inns an rùn dìomhair don
chiad chraoibh air an laigh do shùil air do làimh dheis, agus bidh thu
slàn a-rithist."

Rinn an gille mar a chaidh iarraidh air. Lean e an rathad na
b' fhaide agus na b' fhaide don choille gus an do ràinig e àite far
an robh ceithir rathaidean a' tighinn ri chèile. Air a làimh dheis
chunnaic e craobh mhòr seilich agus chuir e a làmhan air an rùsg
agus dh'inns e an rùn dìomhair dhi.

"Tha cluasan aiseil air an rìgh! Tha e a' cumail fhuilt fada gus nach
fhaic duine iad agus bidh e a' marbhadh nan gillean a ghearras e dha
gus nach urrainn dhaibh innse do dhuine!"

Anns a' bhad dh'fhairich an gille a h-uile uallach agus pian ga thogail bhuaithe. Thionndaidh e agus thog e air dhachaigh na dheann a dh'innse dha mhàthair gun robh e air a leigheas.

Mun aon àm 's a bha mac na caillich air a shlànachadh leis an draoidh, dh'fhàs clàrsair an rìgh tinn. Bhon nach biodh e idir ceart dùn rìoghail a bhith às aonais ceòl, chuir iad fios air a' chlàrsair, Craiftine, a bha eòlach air an rìgh na òige anns an Fhraing. Thàinig Craiftine air an ath bhàta às an Fhraing, ach nuair a ràinig e Èirinn, fhuair e a-mach gun deach a' chlàrsach aige a bhriseadh air an turas.

"Cuiridh sinn na saighdearan agam a dh'iarraidh fiodh a nì tè ùr dhut," thuirt an rìgh, a bha glè thoilichte Craiftine fhaicinn. Thuirt e ri na saighdearan a dhol don choille a dh'iarraidh an fhiodha. "Tha deagh àite ann," ars esan, "far a bheil ceithir rathaidean a' tighinn ri chèile. Tha tòrr chraobhan-seilich air an làimh dheis an sin. Fiodh math làidir airson clàrsach."

Dh'fhalbh na saighdearan agus leag iad craobh-sheilich anns an àite sin agus thug iad leotha i air ais don dùn. Thòisich na saoir ag obair agus ann an ùine gun a bhith fada bha clàrsach àlainn ùr aig Craiftine. Chuir e fhèin na teudan oirre agus thuirt e gun cluicheadh e i airson a' chiad uair an oidhche sin fhèin aig cuirm mhòr san dùn.

An oidhche sin thàinig na rìghrean is banrighrean eile cruinn ann an dùn Labhraidh airson na cuirme. Bha fìon is leann ann, feòil is mìlsean. Às dèidh na dinnearach, thàinig an t-àm airson a' chiùil. Bha cliù mhòr aig Craiftine mar chlàrsair agus, anns an talla, bha na h-uaislean is na h-ìslean le chèile nan tost a' feitheamh fhad 's a chuir e a' chlàrsach ùr air ghleus.

Chuir Craiftine a chorragan ris na teudan agus dh'fhosgail e a bheul airson òran a ghabhail. Ach bu bheag a leigeadh e leas.

"Dà chluais aiseil air Labhraidh Loingseach," sheinn a' chlàrsach.

"Dà chluais aiseil air Labhraidh an rìgh."

Leum Craiftine air ais ach lean a' chlàrsach oirre; a' chlàrsach a rinn na saoir on dearbh chraoibh dhan do dh'inns mac na banntraich rùn dìomhair an rìgh.

"Dà chluais aiseil air Labhraidh Loingseach,

Dà chluais aiseil air Labhraidh an rìgh."

Thionndaidh a h-uile mac màthar san talla a choimhead air Labhraidh Loingseach. Bha cuid a' lachanaich agus cuid a' magadh, ach bu choma le Labhraidh iad. Bha esan a' smaointinn gun robh fiù 's na craobhan ga pheanasachadh airson na chuir e gu bàs airson na cluasan neònach aige a chleith agus bha e a' gabhail uabhas agus aithreachas gun robh e air rud cho olc a dhèanamh.

Thog Labhraidh fhalt gus am faiceadh a h-uile duine san talla a chluasan agus an uair sin chuir e a dh'iarraidh siosar agus gheàrr e fhalt an oidhche sin fhèin gus nach dìochuimhnicheadh e fhèin no duine eile na rudan uabhasach a rinn e airson na cluasan aiseil a chleith.

Agus cha do dhìochuimhnich.

Ceamach na Luaithe Buidhe

Sgeulachd à Èirinn

Bha siud ann reimhid duine beairteach aig an robh bean ghaolach. Bha aona nighean aca agus tha iad ag ràdh gun robh ise a cheart cho gaolach, còir 's a bha a màthair fhèin.

Fhuair màthair na h-ìghne bàs agus chaidh a cur dhan uaigh. Bha an nighean briste às a dèidh. Rachadh i a h-uile latha chun na h-uaghach 's i a' caoineadh 's a' caoidh leis cho mòr 's a bha i ag ionndrainn a màthar.

Bha athair na h-ìghne a-nis car aonaranach e fhèin gun duine ach a nighean airson còmhradh is cuideachd a chumail ris. Rinn e suas inntinn gum pòsadh e a-rithist. Bha am boireannach a phòs e na banntraich, is bha dithis nighean aice fhèin.

Nuair a thàinig a' bhanntrach a dh'fhuireach dhan taigh, thug i fuath don nighinn oir bha an nighean na bu bhòidhche na na h-ìghnean aice fhèin. Cha toireadh i dhi ach seann aodach robach agus bheireadh i oirre cadal ri taobh an teine air an oidhche le casan anns an luaith bhuidhe. 'S ann air sgàth sin nach robh aig duine oirre bho shin a-mach ach Ceamach na Luaithe Buidhe, oir bhiodh i a' cadal san luaith.

Aon latha thuirt an duine beairteach gun robh e a' dol don mhargaidh. Dh'fhaighnich e do na leas-pheathraichean dè bheireadh e dhachaigh dhaibh. Thuirt tè aca gun robh i ag iarraidh gùn sìoda agus thuirt an tèile gun robh ise ag iarraidh paidhir bhrògan agus ad.

An uair sin chuir an duine beairteach an aon cheist air Ceamach na Luaithe Buidhe.

"A' chiad chraobh," ars ise, "anns am buail bhur n-ad, brisibh geug far na craoibhe sin agus thoiribh dhachaigh thugam i."

Dh'fhalbh an duine beairteach don mhargaidh agus thug e leis dhachaigh a h-uile sìon a dh'iarr na caileagan. Chaidh Ceamach na Luaithe Buidhe sa bhad don chladh agus chuir i geug na craoibhe don talamh os cionn uaigh a màthar. Mar a chaidh na mìosan seachad, dh'fhàs craobh mhòr, àrd anns an àite sin. Aon latha, thàinig calman agus thog e nead air bàrr geugan na craoibhe. Rud sam bith a dh'iarradh Ceamach na Luaithe Buidhe air a' chalman seo, dhèanadh e dhi e sa bhad.

Bha rìgh anns an àite aig an robh mac, am prionnsa òg, a bha ag iarraidh bean dha fhèin. Chuir an rìgh cuireadh gu uaislean na tìre a thighinn gu cuirm anns a' chaisteal. Thuirt e gum maireadh a' chuirm trì latha. Air an oidhche mu dheireadh, thaghadh am prionnsa òg bean dha fhèin bho na bha an làthair.

Mar a thuigeadh tu, bha a h-uile nighean san tìr air bhioran 's i an dòchas gur ise a thaghadh am prionnsa mar bhean. Thug a' bhanntrach air Ceamach na Luaithe Buidhe brògan a leas-pheathraichean a ghlanadh agus lìomh a chur orra. Thug i oirre am falt a chìreadh, an gùintean iarnaigeadh agus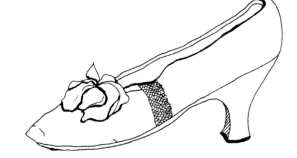

maise-gnùis a chur air am busan is am bilean.

Dh'iarr Ceamach na Luaithe Buidhe cead a dhol don chuirm còmhla riutha.

"Dè?" dh'fhaighnich a muime. "Dè an gnothach a bhiodh aig creutair robach mar thu fhèin aig cuirm ann an caisteal an rìgh? Chan eil aodach no brògan snasail agad. Chan urrainn dhut dannsa. Tha thu làn luaithe. Thalla is nigh na soithichean no dèan rudeigin feumail eile."

Chaidh Ceamach na Luaithe Buidhe na crùban ri taobh an teine agus ghuil i gu goirt. Nuair a chunnaic a muime cho troimh-a-chèile 's a bha i, thàinig nàire oirre.

"Ma tha a h-uile sìon deiseil agad ann an àm," ars ise, "faodaidh tu a thighinn còmhla rinn gu caisteal an rìgh." Ach leis an fhìrinn cha robh i fhathast airson gun tigeadh Ceamach na Luaithe Buidhe còmhla riutha. Mar sin dhòirt i crògan phònairean san luaith san teallach.

"Tog thusa a h-uile gin dhiubh sin," ars ise, "fear mu seach. An uair sin faodaidh tu a thighinn còmhla rinn."

Dh'fhalbh Ceamach na Luaithe Buidhe agus chaidh i far an robh an calman.

"A chalmain, a chridhe, ciamar as urrainn dhomh na pònairean sin uile a thogail às an luaith, fear mu seach, ann an àm airson a dhol chun na cuirm?" dh'fhaighnich ise.

"Thalla thusa dhachaigh," ars an calman. "Chì sinn dè ghabhas dèanamh."

Thill Ceamach na Luaithe Buidhe chun an taighe. Nuair a dh'fhosgail i doras a' chidsin, bha gach uile eun anns a' choille ann roimhpe 's iad a' togail nam pònairean às an luaith.

Nuair a thàinig muime Ceamach na Luaithe Buidhe air ais don chidsin agus a chunnaic i gun robh na pònairean uile air an togail, cha robh i idir air a dòigh.

"Cha chreid mise," ars ise, "gun do rinn thu mar a chaidh iarraidh ort idir. Cha do thog thu na pònairean fear mu seach. Chan eil thu a' dol a dh'àite a-nochd, a nighean."

Thog Ceamach na Luaithe Buidhe oirre air ais far an robh an calman agus a' chraobh agus dh'inns i dhaibh mar a thachair. Le siurdan, thàinig gùn sìoda is brògan àlainn dearga a-nuas às na duilleagan.

"Cuir ort iad sin," thuirt an calman, "agus feuch gun còrd an dannsa riut."

Chan fhaca duine riamh Ceamach na Luaithe Buidhe bhochd ann an dreasa no brògan àlainn agus mar sin, nuair a thàinig i dhan talla san robh an dannsa, cha do dh'aithnich duine i. Thug am prionnsa òg an aire dhi sa bhad agus thàinig e a dhannsa còmhla rithe. Cha mhòr gun do bhruidhinn e ri duine eile fad na h-oidhche.

Nuair a thàinig an t-àm a dhol dhachaigh, dh'fhaighnich am prionnsa do Cheamach na Luaithe Buidhe càit an robh i a' fuireach, ach cha toireadh ise freagairt dha. Theich i agus chan fhaca am Prionnsa i tuilleadh an oidhche sin.

An-ath-oidhche, nuair a dh'fhàg a muime agus a leas-pheathraichean an taigh, rinn Ceamach na Luaithe Buidhe mar a rinn i an oidhche roimhe. Chaidh i far an robh a’ chraobh ’s an calman agus fhuair i gùn de shìoda geal is brògan ùra air an robh dust airgid. Chuir i oirre iad agus chaidh i chun a’ chaisteil.

Dh’aithnich am prionnsa Ceamach na Luaithe Buidhe sa bhad agus thàinig e a sheasamh ri taobh. Chuir iad seachad an oidhche a’ dannsa ’s a’ còmhradh. An uair sin thuirt ise gum feumadh i a dhol dhachaigh. An turas seo, chaidh am prionnsa pàirt dhen t-slighe còmhla rithe, ach mus do ràinig iad taigh a h-athar, theich Ceamach na Luaithe Buidhe a-rithist agus chaill am prionnsa sealladh oirre san dorchadas.

Lean cùisean mar sin air an treas latha. An turas seo ’s e gùn de shìoda le snàithleanan òir a bh’ air Ceamach na Luaithe Buidhe, agus brògan le dust òir. Agus bha am prionnsa deiseil a-nis le plana. Dh’iarr e air fear dhe na searbhantan aige a dhol chun an àite às an do theich Ceamach na Luaithe Buidhe an oidhche roimhe agus teàrr bhog a chur air an rathad.

Chuir iad seachad an oidhche a’ dannsa ’s a’ gàireachdainn, ag ithe, ag òl ’s a’ còmhradh. Nuair a thàinig deireadh na h-oidhche agus a theich Ceamach na Luaithe Buidhe a-rithist, cha robh aig a’ phrionnsa ach ri leantainn chun an àite san robh an teàrr. Mar a bha dùil aige, bha tè de bhrògan Ceamach na Luaithe Buidhe air a dhol an sàs san teàrr agus bha Ceamach na Luaithe Buidhe air a fàgail ann an sin fhèin. Thog am prionnsa a’ bhròg agus thug e leis dhachaigh i.

Cha do chaidil am prionnsa idir an oidhche sin. Dh’èirich e tràth sa mhadainn agus chaidh e chun a h-uile taigh a bha faisg air an àite san robh an teàrr a dh’fhaighneachd an robh nighean aca a chaill

a bròg an oidhche roimhe. Mu dheireadh, ràinig e taigh an duine
bheairtich.

Bha muime Ceamach na Luaithe Buidhe cianail fhèin toilichte
nuair a chunnaic i am prionnsa a' tighinn an rathad. Thug i na
leas-pheathraichean a-mach ga choinneachadh agus nuair a
dh'fhaighnich e mun bhròig, nach ann a thuirt ise gur ann leis an
nighinn bu shine a bha i. Bha cas na h-ìghne sin ro mhòr ach gheàrr
i dhith a sàil gus an rachadh a' bhròg oirre. Nuair a chaidh a cas
mhòr don bhròig bhig, thog am prionnsa suas air an each i agus thog
iad orra air ais don chaisteal. Ach nuair a bha iad a' dol seachad air
a' chraoibh, chuala iad an calman a' seinn:

"Seall air do chùlaibh;

Ò, a phrionnsa, tha thu dall

Seall air do chùlaibh;

Tha fuil am bròg do mhnà.'

Tha a' chas ro mhòr,

Tha a' bhròg ro bheag;

Ò, a phrionnsa, tha thu dall

Chan ann dhìse a thug thu gràdh."

Sheall am prionnsa air a chùlaibh agus chunnaic e an fhuil
a' sileadh às a' bhròig. Bha fhios aige nach robh an nighean cheart
aige. Thill e chun an taighe agus thug a' mhuime an dara nighean
a-mach. Bha a casan-se fada, caol agus b' fheudar dhi a h-òrdag mhòr
a ghearradh dhith gus an rachadh a cas sa bhròig. Chaidh a cas fhada

dhan bhròig bhig agus thog am prionnsa air a chùlaibh air an each
i agus dh'fhalbh e a-rithist. Ach nuair a bha iad a' dol seachad air
a' chraoibh, chuala iad an calman a' seinn a-rithist:

"Seall air do chùlaibh;

Ò, a phrionnsa, tha thu dall

Seall air do chùlaibh;

Tha fuil am bròg do mhnà.'

Tha a' chas ro fhada,

Tha a' bhròg ro gheàrr;

Ò, a phrionnsa, tha thu dall

Chan ann dhìse a thug thu gràdh."

Sheall am prionnsa air a chùlaibh agus chunnaic e an fhuil
a' sileadh às a' bhròig a-rithist. Thill e chun an taighe agus
dh'fhaighnich e an robh nighean eile ann. Mu dheireadh, dh'aidich
a' mhuime gun robh agus thàinig Ceamach na Luaithe Buidhe
a-mach. Cha robh cas Ceamach na Luaithe Buidhe mòr no fada agus
cha robh aice ri sàil no òrdag a ghearradh dhith. Chaidh a' bhròg
oirre gun mhaill agus bha fhios aig a' phrionnsa gun robh e air an tè
cheart a lorg mu dheireadh thall.

Phòs Ceamach na Luaithe Buidhe agus am prionnsa agus cha robh
riamh càraid cho sona air an t-saoghal. Bha dannsa mòr aca às dèidh
na bainnse agus bha a h-uile duine san rìoghachd ann, ach a-mhàin
leas-pheathraichean agus muime Ceamach na Luaithe Buidhe. Bha
iadsan aig an taigh le casan goirt.

Fionn MacCumhaill agus Fuamhaire Mòr na h-Alba

Sgeulachd à Èirinn

O chionn fhada an t-saoghail bha fear ann an Èirinn air an robh Fionn MacCumhaill. 'S e duine air leth a bh' ann. Bha e calma agus bha e làidir. 'S e seòrsa de rìgh a bh' ann. Bha e air ceann treud mòr de ghaisgich ris an canadh iad Fianna na h-Èireann. 'S e bàrd a bh' ann cuideachd agus bha cumhachdan sònraichte aige. Nuair a bha e na ghille òg, loisg e òrdag 's e a' ròstadh bradan. 'S e bradan seunta a bh' ann, agus bhon latha sin a-mach, cha leigeadh Fionn a leas ach òrdag a chur na bheul, agus bìdeadh oirre, agus bhiodh fhios aige air a h-uile rud air an t-saoghal. Bha e air chomas dha innse dè bha a' dol a thachairt mus tachradh e, no innse càit an robh duine a bh' air chall, no innse dè bha duine ris ged a bha an duine sin na mìltean thar mhìltean air falbh on àite san robh e fhèin.

Bha dachaigh Fhinn air mullach cnuic ris an can iad Almhain. Tha Almhain ann an sgìre Chill Dara, a tha meadhanach faisg air far a bheil Baile Àtha Cliath an-diugh. Bha taigh mòr aig Fionn air a' chnoc agus bhiodh e fhèin agus na Fianna a' sabaid ri chèile air na srathan ìosal, uaine mu chuairt air gus am biodh na sgilean saighdearachd aca cho math 's a ghabhadh. An uair sin bhiodh iad a' falbh air feadh na h-Èireann 's iad a' cur cogadh agus a' sabaid.

Ged a bha mòran dhaoine uabhasach dèidheil air Fionn, bha tòrr nàimhdean aige cuideachd. Bha treud de dhaoine ann an Èirinn an uair sin aig nach robh ach aon sùil ann am meadhan am bathais. Bhiodh cuid de dhaoine ag ràdh gun d' fhuair Fionn na cumhachdan sònraichte aige nuair a mharbh e fear dhe na daoine sin. Mar sin, bha gràin aca uile air Fionn agus bhiodh iad tric a' sabaid na aghaidh. Bhiodh e a' sabaid an aghaidh dhaoine eile cuideachd. Aon turas thàinig fuamhaire mòr, uabhasach a dh'Èirinn le cù mòr a mharbh còrr is ceud fear agus ceud cù. 'S e Bran, an cù aig Fionn, a mharbh an cù sin.

Bha Fionn uabhasach àrd agus làidir, coltach ri fuamhaire. Cha robh duine eile ann an Èirinn a bha cho làidir ris. Mar sin, cha robh eagal aige ro dhuine ann an Èirinn, ach bha eagal air ro fhuamhaire mòr a bha a' fuireach air an taobh thall de Shruth na Maoile – an cuan eadar Èirinn agus Alba.

Bhiodh daoine ag ràdh nach robh duine air thalamh a bha na bu mhotha no na bu làidire na Fuamhaire Mòr na h-Alba. Air làithean ciùin bhiodh muinntir na h-Èireann a' cluinntinn èigheachd agus bùirean a' tighinn thuca air a' ghaoith. "Cluinn siud," chanadh iad ri chèile, "siud Fuamhaire Mòr na h-Alba 's e ag èigheachd airson a dhinneir."

"Smaoinich," chanadh iad an uair sin. "Cho mòr 's a dh'fheumadh duine a bhith airson fuaim mar siud a dhèanamh. Nas motha na Fionn MacCumhaill, tha fhios."

Ged nach robh seo a' còrdadh ri Fionn, cha do ghabh e cus dragh fhad 's a bha Fuamhaire Mòr na h-Alba air taobh thall a' chuain air cost an iar na h-Alba.

"Fhad 's a tha Sruth na Maoile eadarainn," chanadh e ris fhèin, "tha mi sàbhailte gu leòr."

Nise, fhad 's a bha Fionn a' gabhail dragh gun robh Fuamhaire Mòr na h-Alba na bu mhotha agus na bu làidire na e fhèin, saoil dè bha Fuamhaire na h-Alba ris? Saoil an robh esan toilichte leis fhèin? Saoil an robh e a' smaointinn gun dèanadh e a' chùis air Fionn nan tachradh iad ri chèile?

Cha robh. 'S ann a bha esan an amharas gun robh Fionn na bu mhotha agus na bu làidire na e fhèin agus gur e Fionn a dhèanadh a' chùis airsan nan tachradh iad ri chèile. Bha cliù mòr aig Fionn mar rìgh agus mar bhàrd agus mar ghaisgeach, cha b' ann a-mhàin ann an Èirinn, ach air feadh an t-saoghail mhòir. Bha Fuamhaire Mòr na h-Alba air a h-uile sìon dhen seo a chluinntinn agus cha robh e idir idir air a dhòigh. Bha e ag eudachd ri Fionn.

"Carson nach bi duine a' bruidhinn ormsa?" bhiodh e ag ràdh ris fhèin. "Tha thìde agam sin a chur ceart. Uill. 'S ann air Fuamhaire Mòr na h-Alba a bhios iad a' bruidhinn air feadh Alba is Èirinn nuair a chuireas mi cath air Fianna na h-Èireann agus a nì mi a' chùis orra. Bidh m' ainm air bilean gach uile dhuine air thalamh an uair sin. Seallaidh sin do dh'Fhinn MacCumhaill. Ò, 's e a chòrdas rium!"

Aon latha, nuair a bha grian an t-samhraidh a' sgoltadh nan clachan le teas, rinn Fuamhaire na h-Alba suas inntinn gun rachadh e a dh'Èirinn feuch cò bu làidire, e fhèin no Fionn. Bha Fionn e fhèin a-muigh fad an latha sin 's e ann an deagh shunnd. Bha a' mhòine a bhuain e as t-earrach a-nis air tiormachadh agus thug Fionn air ais chun an taighe i agus rinn e cruach leatha, 's e a' seinn fad na h-ùine. Nuair a bha a' chruach deiseil, chaidh e a-steach a bhroinn an taighe agus sgioblaich e an talla mòr far am biodh na Fianna a' tighinn cruinn airson chuirmean is chèilidhean.

Nuair a bha an talla mòr rèidh aon uair eile, chaidh Fionn a-mach a-rithist agus chunnaic e gun robh an latha air fàs dorcha, mar gum biodh sgòthan mòra dubha a' falach na grèine. Shaoil Fionn gur dòcha gun robh stoirm a' tighinn. Sguir e a sheinn agus dhìrich e an cnoc gus am faiceadh e na srathan ceithir thimcheall air. Chunnaic e an uair sin nach e sgòthan mòra a bha a' falach na grèine idir ach fuamhaire mòr a bha air nochdadh air fàire. Bha e cho mòr agus gun robh gach ceum ga thoirt thar ghleanntan is bheanntan. Nuair a chunnaic Fionn gur ann a' dèanamh air a thaigh fhèin a bha e, thuig e gur e Fuamhaire Mòr na h-Alba a bh' ann.

Calma 's gun robh Fionn, ghabh e eagal nuair a chunnaic e cho mòr 's a bha Fuamhaire na h-Alba. Bha e cho àrd agus nach fhaiceadh Fionn na speuran air a chùlaibh. Bha e cho leathann 's gum faiceadh Fionn beanntan is aibhnichean eadar a chasan. Bha e cho trom 's gun robh gach ceum a ghabh e a' cur talamh na h-Èireann air chrith. Bha fhios aig Fionn nach b' urrainn dha fhèin seasamh na aghaidh. Thug e a chasan leis.

Nuair a ghabh Fionn eagal ro Fhuamhaire Mòr na h-Alba, sin a' chiad turas a ghabh e eagal na bheatha. Cha robh fhios aige dè bu chòir dha a dhèanamh agus mar sin rinn e dìreach air an taigh aige fhèin aig peilear a bheatha. Bha a bhean a-staigh 's i a' fighe. Nuair a thàinig Fionn a-steach, bha brag an dorais cho mòr 's gun do thuit na bioran air an làr leis a' chlisgeadh a fhuair i.

"Fhinn!" ars ise. "Dè idir a' chabhag a th' ort? Theab thu an doras a thoirt far nam bannan!"

Bha Fionn cho goirid san anail 's nach b' urrainn dha guth a ràdh an toiseach ach an uair sin chaidh aige air bruidhinn.

"Tha Fuamhaire Mòr na h-Alba a' tighinn an taobh seo. Tha fhios gur ann an tòir ormsa a tha e. Dè idir a nì mi? Chan fhaca mi riamh duine cho mòr. An tèid mi am falach?"

"Ist," ars a bhean. "Cha tèid! Mo nàire! Fionn MacCumhaill, an duine agamsa, a mharbhadh naoinear fhear leis fhèin? Carson a rachadh esan am falach nuair nach eil an tòir air ach aon duine à Alba? Tha fhios nach eil e cho mòr sin."

"Tha, ge-tà," arsa Fionn. Dh'inns e dhi an uair sin mun dubhar anns na speuran agus na beanntan eadar na casan agus na ceumannan a chuir an talamh air chrith. Nuair a chuala a bhean sin, chaidh i chun na h-uinneig agus chunnaic i am fuamhaire dhi fhèin.

"Seadh," ars ise. "Tha mi a' faicinn dè th' agad a-nis. Tha e gu math nas motha na thusa. Nach math gu bheil mise nas seòlta na an dithis agaibh le chèile?"

"Dè nì mi ma-thà?" dh'fhaighnich Fionn a-rithist. "Ma tha thu cho seòlta sin, inns sin dhomh."

"Laigh thusa sa chreathail," ars ise agus thug i dha bonaid leanaibh. "Cuir ort seo agus còmhdaich thu fhèin leis na plaideachan. Greas ort mus tig e!"

Rug Fionn air a' bhonaid agus leum e dhan chreathail. Chuir e a' bhonaid air a cheann agus chaidh e fo na plaideachan. Dhùin e a shùilean nuair a chuala iad gnogadh aig an doras.

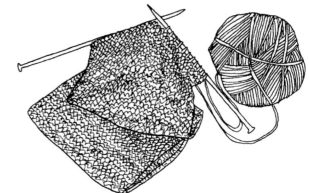

Dh'fhosgail bean Fhinn an doras.

"Madainn mhath," ars ise ris an fhuamhaire.

Cha robh am fuamhaire ann an triom a bhith modhail. "Coma leat 'madainn mhath'," ars esan rithe. "Càit a bheil Fionn MacCumhaill? Tha mi air tighinn à Alba a shabaid ris."

"Fionn?" arsa bean Fhinn. "Ò, tha mi duilich. Chan eil Fionn aig an taigh an-dràsta. Chaidh e dhan Fhraing an-diugh sa mhadainn a cheannach snàth sìoda dhomh. Tha dùil a'm ris air ais a-nochd."

"A-nochd?" arsa Fuamhaire na h-Alba. "Dè seòrsa duine a bheireadh an Fhraing a-mach agus a thilleadh a dh'Èirinn anns an aon latha?"

"Is dòcha nach cuala sibh," arsa bean Fhinn, "ach tha Fionn uabhasach mòr. Ach cho mì-mhodhail 's a tha mi! Nach tig sibh a-steach a ghabhail blasad bìdh ri taobh an teine? Tha fhios gu bheil sibh sgìth às dèidh dhuibh tighinn cho fada. À Alba, an tuirt sibh?"

Bha bean Fhinn cho modhail còir agus gun robh Fuamhaire na h-Alba air a nàrachadh leis mar a bha e air a bhith cho mì-mhodhail rithe roimhe. Chrom e a cheann agus lean e a-steach i. Shuidh e aig a' bhòrd agus thug e dheth a bhrògan.

"Bha mi am beachd sgonaichean a dhèanamh do dh'Fhionn airson a dhinneir," arsa bean Fhinn ris. "Saoil, nan dèanainn tè a bharrachd, an gabhadh tu fhèin i?"

"Gabhaidh," ars esan. "Tapadh leat."

Rinn bean Fhinn sgonaichean mòra mòra agus, nuair a rinn i an tè a bha i a' dol a thoirt do dh'Fhuamhaire na h-Alba, chuir i clachan mòra anns an taois. Thug i an sgona don Fhuamhaire agus dh'ith

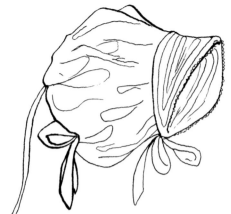

esan i. Bha fuaim uabhasach ann nuair a
thug e a' chiad ghrèim aiste agus a bhris
na clachan fhiaclan.

"Ò," arsa bean Fhinn, "cha do ghoirtich
na clachan sibh, an do ghoirtich? Bidh
Fionn daonnan ag ithe chlachan, tha fhiaclan cho làidir."

"Cha do ghoirtich," arsa Fuamhaire na h-Alba, ged a bha coltas air
gun do ghoirtich gu mòr. Cha do dh'ith e an còrr dhen sgona ach
thòisich e a' coimhead timcheall an t-seòmair. Thug e an aire don
chreathail agus chaidh e a-null a choimhead na broinn.

"Dè an aois a tha an leanabh?" dh'fhaighnich esan.

"Trì mìosan," arsa bean Fhinn. "'S e Fionn a th' airsan cuideachd."

"Meal do naidheachd air do mhac," arsa Fuamhaire na h-Alba.
"Nach e a tha mòr? Bheil gin a dh'fhiaclan aige fhathast?"

"Ò, tha," arsa bean Fhinn, "tha gu leòr."

Chuir am Fuamhaire a chorrag ann am beul Fhinn agus bhìd Fionn
gu cruaidh oirre. Leig am Fuamhaire sgreuch agus leum e air falbh
on chreathail.

"Innsidh mi seo dhut, a bhean," ars esan, "mas e sin an leanabh,
chan eil mi ag iarraidh an t-athair fhaicinn gu bràth!" Thionndaidh e
air a shàil agus theich e às an taigh.

Nuair a chuala e sin, leum Fionn às a' chreathail agus chaidh e
mach an doras às a dhèidh. Cha robh sgeul air Fuamhaire na h-Alba;

leis an eagal a ghabh e bha e mar-thà letheach slighe air ais a dh'Alba.

Lean Fionn e airson greis ach an uair sin stad e agus shad e pìos mòr talaimh thar a' chuain às a dhèidh mar rabhadh nach bu chòir dha tilleadh a dh'Èirinn gu bràth. Cha deach am pìos talaimh fada gu leòr agus thuit e ann am meadhan a' chuain. Bha e cho mòr 's gun robh daoine a' smaoineachadh gur e eilean ùr a bh' ann. Thug iad Eilean Mhanainn air mar ainm, agus sin an t-ainm a th' air chun an latha an-diugh.

Far an do thog Fionn am pìos talaimh bha toll mòr air fhàgail. Beag air bheag lìon an toll mòr le uisge às na speuran agus bho na h-aibhneachan mòra anns an àite. Mu dheireadh nochd loch far an robh an toll agus thug daoine Loch nEathach air. Ma choimheadas tu air mapa de dh'Èirinn, chì thu gu bheil Loch nEathach cho mòr agus gu bheil na bruaichean aige ann an trì sgìrean de cheann a tuath na h-Èireann: Aontroim; Tìr Eoghain agus Ard Mhacha.

Tha sin uile a' sealltainn cho mòr is cho làidir 's a bha Fionn MacCumhaill. Làidir 's gun robh esan, ge-tà, cha robh e leth cho seòlta ri bhean, a chuir Fuamhaire Mòr na h-Alba air ais an taobh às an tàinig e.

Fionn MacCumhaill: à Alba no Èirinn?

Tha sgeulachdan mu Fhionn MacCumhaill rin lorg ann an Alba agus ann an Èirinn. 'S ann à Èirinn a tha an sgeulachd gu h-àrd. Mar sin 's ann ann an Èirinn a tha Fionn a' fuireach anns an sgeulachd, ach anns na sgeulachdan againne 's ann ann an Alba a tha e a' fuireach. Chan eil an sgeulachd mu Fhionn agus Fuamhaire na h-Alba cho cumanta ann an Alba.

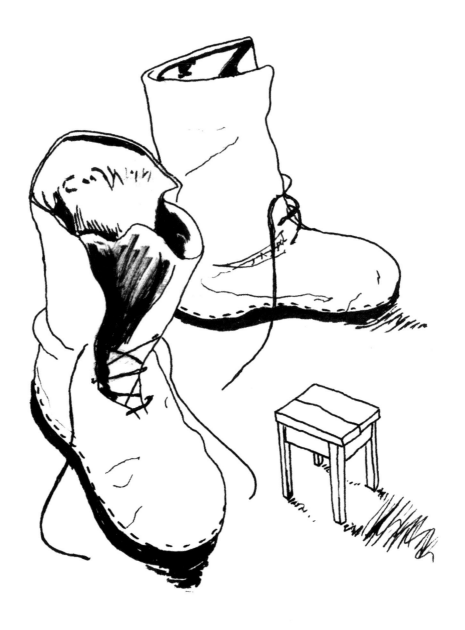

Àireamh muinntir Fhinn is Dhubhain

Sgeulachd à Gàidhealtachd na h-Alba

'S e ceannardan mòra, cumhachdach a bh' ann am Fionn MacCumhaill agus Dubhan. Bha falt Dhubhain cho dubh ris a' ghual agus bha falt Fhinn cho buidhe ris an òr. Cha robh Fionn is Dubhan a' faighinn air aghaidh idir, ach bha nighean Dhubhain a' smaointinn nach robh duine cho eireachdail air an talamh ri Fionn.

Thachair gun robh Fionn is Dubhan latha air bòrd bàta le ceithir saighdearan deug an urra aca. Dh'èirich stoirm uabhasach agus bha a h-uile coltas ann gun rachadh a h-uile duine a bh' air bòrd a chall. Thuirt Dubhan ri Fionn nach robh ach aon roghainn aca; dh'fheumadh iad am bàta aotromachadh.

"Feumaidh sinn an dàrna leth dhe na tha air bòrd a chur leis a' chliathaich," arsa Dubhan. "Sin còig duine deug."

"Na fir agadsa, ma-thà," arsa Fionn.

"Chan e ach na fir agadsa," arsa Dubhan.

Cha robh Fionn no Dubhan deònach gèilleadh. Bha an t-eagal orra le chèile, ge bith cò am fear aca aig am biodh barrachd dhaoine, gun toireadh esan ionnsaigh air an fhear eile.

Cò eile bh' air bòrd, ge-tà, ach nighean Dhubhain.

"Innsidh mise dhuibh dè nì sinn, fhearaibh," ars ise. "Cuiridh mise na fir nan suidhe agus an uair sin cunntaidh mi a-mach iad air àireamh a naoi."

"A h-uile naoidheamh fear?" dh'fhaighnich Fionn.

"Leis a' chliathaich?" dh'fhaighnich Dubhan.

"'S e," thuirt nighean Dhubhain. "Tha sin nas cothromaiche, nach eil? Cuiridh mi nur suidhe sibh le rann. Sibhse cuideachd, Fhinn. Agus sibhse, athair."

Ghabh i an rann a leanas agus chaidh na fir nan suidhe:

"Ceathrar o Fhionn," ars ise

"cuiridh mi nan suidhe.

Còignear às an dèidh sin

De na saighdearan aig Dubhan.

Dithis eile bho MhacCumhaill

Leanaidh mi le fear o Dhubhan.

Triùir bho Fhionn às an dèidh sin

Fear bho Dhubhan, thig a shuidhe.

Fionn MacCumhaill fhèin an uair sin

Is ga leantainn, dithis dhubha

Dithis eile às an dèidh-san

De chuideachd an fhir mhòir MacCumhaill.

Dubhan fhèin thig an uair sin,

Aon duine dubh air gach taobh dheth

Aon bho Fhionn, dithis bho Dhubhan,

Dithis bho Fhionn 's bho Dhubhan, aonan."

Nuair a bha na fir uile nan suidhe, thòisich i gan cunntadh a-mach air àireamh a naoi. Ach a h-uile naoidheamh fear, 's e fear de chuideachd a h-athar a bh' ann!

Mu dheireadh, bha na fir aig Dubhan uile air an cur leis a' chliathaich. Cha robh air fhàgail ach Dubhan fhèin. Rug nighean Dhubhain air ghàirdean air airson a chur leis a' chliathaich ach chuir Fionn stad oirre. Shàbhail e beatha Dhubhain.

Fhuair na bha air fhàgail dhiubh air ais gu tìr gu sàbhailte.

Ciamar a tha thu a' smaointinn a bha Dubhan agus a nighean a' faighinn air aghaidh às a dhèidh sin?

Bodach an t-Sìlein Eòrna

Sgeulachd à Gàidhealtachd na h-Alba

Bha siud ann reimhid bodach nach robh idir beairteach, ach a bha seòlta. Thuirt am bodach ris fhèin latha gum falbhadh e a dh'iarraidh an fhortain. Cha robh e air a dhol fad sam bith nuair a chunnaic e sìlean eòrna san fheur ri taobh an rathaid.

"À ha," thuirt esan ris fhèin. "Seo fortan dhomh."

Thog am bodach an sìlean eòrna agus dh'fhalbh e sìos an rathad.

An ceann greis 's ann a ràinig e taigh ri taobh an rathaid. Ghnog e air an doras is chaidh e a-steach far an robh na daoine.

"Saoil," ars esan riutha, "an cùm sibh an sìlean eòrna seo dhomh gus an till mi an ceann bliadhna? Chan eil an còrr agam air an t-saoghal."

"Cumaidh," arsa na daoine. "Tha fhios gun cùm."

Dh'fhalbh am bodach agus chaidh e dhachaigh agus an ceann bliadhna thill e chun an taighe.

"Tha mi air tilleadh," ars esan, "a dh'iarraidh an t-sìlein eòrna a dh'fhàg mi agaibh o chionn bliadhna."

"Obh, obh," arsa na daoine. "Nach do dh'ith a' chearc againn e!"

"Ma dh'ith," ars am bodach, "'s ann a bheir mise leam a' chearc. A' chearc," ars esan, "a dh'ith an sìlean eòrna, an aon rud a bh' agam air an t-saoghal."

Bha na daoine a' gabhail truas ris nuair a chuala iad sin agus mar sin thug iad dha a' chearc.

Dh'fhalbh am bodach mar sin agus thug e leis a' chearc fo achlais. Chaidh e pìos sìos an rathad gus an do ràinig e taigh eile. Ghnog e air an doras is chaidh e a-steach far an robh na daoine.

"Saoil," ars esan, "an cùm sibh a' chearc seo dhomh gus an till mi an ceann bliadhna? Chan eil an còrr agam air an t-saoghal."

"Cumaidh," arsa na daoine. "Tha fhios gun cùm."

Dh'fhalbh am bodach agus chaidh e dhachaigh agus an ceann bliadhna thill e chun an taighe.

"Tha mi air tilleadh," ars esan, "a dh'iarraidh na circe a dh'fhàg mi agaibh o chionn bliadhna."

"Obh, obh," arsa na daoine. "Nach do sheas a' bhò againn oirre!"

"Ma sheas," ars am bodach, "'s ann a bheir mise leam a' bhò. A' bhò," ars esan, "a mharbh a' chearc, an aon rud a bh' agam air an t-saoghal."

Bha na daoine a' gabhail truas ris nuair a chuala iad sin agus mar sin thug iad dha a' bhò.

Dh'fhalbh am bodach mar sin agus thug e leis a' bhò air teadhair. Chaidh e pìos sìos an rathad gus an do ràinig e taigh eile. Ghnog e air an doras is chaidh e a-steach far an robh na daoine.

"Saoil," ars esan, "an cùm sibh a' bhò seo dhomh gus an till mi an ceann bliadhna? Chan eil an còrr agam air an t-saoghal."

"Cumaidh," arsa na daoine. "Tha fhios gun cùm."

Dh'fhalbh am bodach agus chaidh e dhachaigh agus an ceann bliadhna thill e chun an taighe.

"Tha mi air tilleadh," ars esan, "a dh'iarraidh na bà a dh'fhàg mi agaibh o chionn bliadhna."

"Obh, obh," arsa na daoine. "Nach deach a bàthadh nuair a thug an nighean as sine againn sìos chun na loch i!"

"Ma chaidh," ars am bodach, "'s ann a bheir mise leam an nighean. An nighean," ars esan, "a bhàth a' bhò, an aon rud a bh' agam air an t-saoghal."

Ged a bha na daoine a' gabhail truas ris nuair a chuala iad sin, cha robh iad ro dheònach an nighean a bu shine aca a thoirt dha. Cha tuirt iad guth an toiseach, ach nuair a dh'fhalbh am bodach leis an nighinn, 's ann a lean a h-athair agus a bràithrean iad sìos an rathad. Bha an nighean a' caoidh 's a' caoineadh agus cha robh iad air a dhol fad sam bith nuair a stad am bodach agus a chuir e ann am poc' i.

Dh'fhalbh am bodach a-rithist leis a' phoc air a dhruim ach bha an latha blàth agus an rathad fada agus, an ceann greis, stad e agus chuir e am poca sìos ri taobh an rathaid fhad 's a chaidh e fhèin a dh'iarraidh deoch. Cho luath 's a dh'fhalbh e, thug athair na h-ìghne às a' phoc i agus lìon a bràithrean le clachan e. Nuair a thill am bodach, cha robh for aige nach robh an nighean fhathast am broinn a' phoca. Thog e am poca agus thog e air sìos an rathad.

"Chan eil cus agad ri ràdh a-nis," ars esan ris a' phoca an ceann greis.

Cha tuirt am poca guth. Chuir am bodach sìos e agus sheall e na bhroinn.

"Uill, uill," ars esan nuair a chunnaic e na clachan. "Uill, uill."

Dh'fhàg am bodach am poca agus na clachan ann a shin agus thog e air a-rithist. Cha robh e air a dhol fad sam bith nuair a chunnaic e sìlean eòrna san fheur ri taobh an rathaid.

"À ha," ars esan. "Seo fortan eile dhomh."

Thog am bodach an sìlean eòrna agus thog e air sìos an rathad.

MacCodruim nan Ròn

Sgeulachd à Gàidhealtachd na h-Alba

Bha siud ann reimhid iasgair òg ann an Uibhist. Aon turas gach bliadhna, rachadh e còmhla ri fir eile a' bhaile sa bhàta mhòr aca a dh'Eilean Heisgeir a shealg nan ròn.

'S dòcha gu bheil thu a' faighneachd dhut fhèin carson a mharbhadh duine creutair brèagha mar ròn. Ach bha beatha chruaidh anns na h-Eileanan an uair ud. Bha iomadach rud a dhìth air daoine airson cumail beò. Lìonadh fèoil ròin brù duine nuair nach biodh an còrr ann ri ithe. Chumadh seiche ròin blàth e air oidhche geamhraidh. Agus dhèanadh ola ròin solas dha nuair a loisgeadh e i ann an lampaichean beaga ris an canadh iad crùisgein.

Air a' bhliadhna a bha seo, bha na ròin pailt agus chaidh gu math leis na fir. Thàinig orra aon duine fhàgail ann a' Heisgeir a chumail faire fhad 's a thug càch na b' urrainn dhaibh de chlosaichean nan ròn air ais dhan bhaile. Cha robh duine aca deònach fuireach an toiseach ach chuir iad crann. 'S e an t-iasgair òg a bh' air a thaghadh.

Às dèidh dha na fir eile falbh, fhuair an t-iasgair àite-suidhe dha fhèin air dùn gainmhich às am faiceadh e an tràigh. Ach bha a' ghrian teth agus bha esan sgìth agus cha b' fhada gus an do dh'fhairich e a shùilean a' dùnadh.

Bha i dorcha nuair a dhùisg fuaim caoinidh an t-iasgair às a shuain.

An toiseach, cha robh fhios aige càit an robh e, ach an uair sin chuimhnich e gun robh e ann a' Heisgeir agus gun robh còir aige a bhith a' cumail faire. Sheas e suas gus am faiceadh e dè bha a' dol air an tràigh, agus cha mhòr nach do thuit e sìos a-rithist leis an iongantas.

Bha na ficheadan de ròin a-nis a' dèanamh air an tràigh. Cho luath 's a thigeadh iad air tìr, bheireadh na ròin dhiubh an seichean agus cha b' e ròin a bh' annta tuilleadh, ach boireannaich àlainn. Agus choisich na boireannaich suas is sìos air an tràigh, 's iad a' caoidh 's a' caoineadh os cionn an càirdean marbha air a' ghainmhich.

Sheas an t-iasgair ann a shin a' coimhead nam maighdeannan ròin gus an do nochd ciad ghathan na maidne air fàire. Nuair a chunnaic na maighdeannan ròin a' ghrian, thionndaidh iad mar aon agus rinn iad air oir na tràghad. Thog iad an seichean, chuir iad orra iad agus chaidh iad nan ròin aon uair eile. Chaidh iad à sealladh, air ais don mhuir.

Bha an t-iasgair a-nis a' smaointinn gun robh e leis fhèin air an eilean, ach an uair sin thug e an aire do sheiche ròin air a sìneadh air creig pìos bhuaithe air an tràigh. Shnàig e a-null agus thog e an t-seiche agus an uair sin ruith e air ais ga fhalach fhèin mus tilleadh a' mhaighdeann ròin leis an robh i. Cha robh fada aige ri feitheamh.

Nuair a thill a' mhaighdeann ròin chun an àite anns an robh an t-seiche, thòisich i ga siubhal. Nuair a thuig i nach robh i ann agus nach robh dòigh aice air tilleadh don mhuir, shuidh i sìos, chuir i a ceann na làmhan agus thòisich i ri gal.

Thàinig an t-iasgair às an àite-falaich aige agus chaidh e na b' fhaisge air a' mhaighdinn ròin. Chunnaic e gur e boireannach àlainn a bh' innte agus labhair e rithe gu ciùin. An ceann greis, sguir i a ghal agus mun àm a thill na fir eile le sùilean mòra làn iongantais, bha a h-uile coltas ann gun robh i deònach falbh dhachaigh còmhla ris an iasgair. Phòs an t-iasgair i agus rè ùine bha mac aca, Codrum. Ach ged is e bean mhath a bh' anns a' mhaighdinn ròin, cha tuirt i riamh smid on latha sin a-mach.

Bha a-nis aig an iasgair ri àite-falaich fhaighinn don t-seiche. Aig àm an fhoghair bhiodh e a' togail nan cruachan mòra feòir anns an iodhlainn – àite air cùl an taighe le ballachan airson na cruachan a dhìon on ghaoith. Chuireadh e an t-seiche fon chiad chruaich, oir sin an tè a b' fhaisge air cùl na h-iodhlainn. Bhiodh an t-seiche sàbhailte an sin gu earrach, nuair a chleachdadh an t-iasgair a' chruach mu dheireadh. An uair sin bheireadh e an t-seiche don bhàthaich agus chuireadh e suas air na cabair i, am measg nan lìon iasgaich.

Lean cùisean mar sin fad bhliadhnaichean agus dh'fhàs mac an iasgair agus na maighdinn ròin mòr. Bhiodh e a' cuideachadh athar 's a mhàthar le obair na croite. Bhiodh e a' toirt fodar do na beathaichean. Bhiodh e a' bleoghan na bà. Bhiodh e a' càradh mhullaichean nan toglaichean.

Aon latha, thàinig air an iasgair a dhol gu deas a dh'iarraidh each ùr. Fhad 's a bha e air falbh, thuirt Codrum ris fhèin gun càireadh e toll san tughadh ann am mullach na bàthcha. Shreap e suas agus choimhead e dhan toll. Chunnaic e rudeigin neònach le dath glas fo na cabair agus chuir e a làmh a-steach gus an togadh e a-mach e. 'S e seiche ròin a bh' ann – an t-seiche ròin a bu bhòidhche a chunnaic Codrum a-riamh. Shaoil e gur e preusant math a bhiodh innte dha mhàthair agus thug e thuice i far an robh i san taigh.

Nuair a thill an t-iasgair an-ath-latha leis an each, bha Codrum leis fhèin anns an taigh. Cha robh sgeul air a' mhaighdinn ròin. Bha i air tilleadh don mhuir. Chan fhaca iad a-chaoidh tuilleadh i.

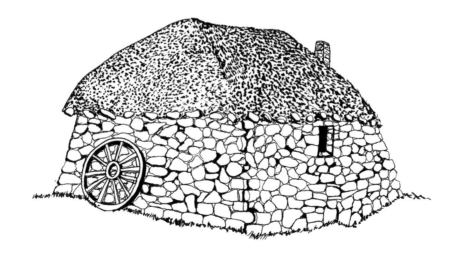

Tha cuid ag ràdh gur iad Clann MhicCodruim sliochd na maighdinn ròin. Tha Clann MhicCodruim math air seinn agus air bàrdachd a dhèanamh, agus tha cuid a' creidsinn gur e dìleab a tha sin, on a tha na ròin cho dèidheil air ceòl.

An robh fhios agad gun robh na ròin math air seinn? Feuch gun seinn thu fhèin dhaibh an-ath-turas a tha thu ann an àite sa bheil grunnan dhiubh cruinn san uisge, no pìos bhuat air tìr. Thig iad a dh'èisteachd, no uaireannan cluinnidh tu iad gad fhreagairt leis an òran àraid aca fhèin.

Na Trì Lèintean Canaich

Sgeulachd à Gàidhealtachd na h-Alba

Bha siud ann reimhid rìgh is banrigh aig an robh nighean agus triùir mhac. Nuair a rugadh am mac a b' òige, chaochail a' bhanrigh. Fad ùine mhòr bha an rìgh cianail fhèin brònach. Nuair a thòisich e a' toirt an aire do rudan mu thimcheall air a-rithist, chunnaic e gun robh cearcallan mòra, dubha fo shùilean na cloinne, is sràcan is reuban anns an aodach aca. Chuala e cho sàmhach 's a bha an taigh on a sguir iad uile a lachanaich is a sheinn. Rinn e suas inntinn gun lorgadh e bean ùr – tè òg choibhneil a bhiodh mar mhàthair don chloinn agus a bheireadh beagan sòlais air ais don taigh.

Nuair a thàinig a' bhanrigh òg ùr, cha b' fhada gus an do dh'fhalbh na cearcallan a bha fo shùilean na cloinne agus gus an deach an t-aodach aca a chàradh. Bha an taigh aon uair eile làn sòlais, lachanaich is seinn.

Aon latha, ge-tà, cò thàinig a chuideachadh san taigh ach an Eachlair Ùrlair, seann bhoireannach a bhiodh a' falbh o àite gu àite air feadh na rìoghachd. Dh'fhaighnich an Eachlair Ùrlair dhan bhanrigh ciamar a bha i fhèin 's a' chlann a' faighinn air aghaidh.

"Tha gu math," ars a bhanrigh. "Mar gum biodh iad leam fhìn."

"Ma-thà," arsa an Eachlair Ùrlair, "'s tusa tha gòrach. Dè nam biodh an rìgh marbh a-màireach? No nam biodh clann agad fhèin? Bu bheag a gheibheadh sibh dhen àite seo."

Chùm i oirre ag obair air a' bhanrigh mar sin fad làithean is sheachdainean gus an do dh'èist a' bhanrigh rithe.

"Dè nì mi, ge-tà?" dh'fhaighnich a' bhanrigh. "Cha b' urrainn dhomh a' chlann a ghoirteachadh. Cha b' urrainn."

"Cha leig thusa a leas sìon a dhèanamh," thuirt an Eachlair Ùrlair. "Cuir suas thugamsa iad. Duine mu seach, don taigh agam fhìn. Can riutha gu bheil thu ag iarraidh na cìre buidhe agam."

"Dè nì thu orra?" dh'fhaighnich a' bhanrigh.

"Coma leat sin," ars an Eachlair Ùrlair. "Ach cha chuir iad dragh ort a-chaoidh tuilleadh. Faodaidh tu bhith cinnteach à sin."

Làrna-mhàireach chuir a' bhanrigh an gille bu shine suas do thaigh na h-Eachlair Ùrlair.

"Can rithe," ars ise, "gu bheil do mhuime ag iarraidh na cìre buidhe."

Dh'fhalbh an gille agus cha robh for aige gun robh sìon ceàrr. Chaidh e suas chun an taighe, ghnog e air an doras agus thuirt e ris an Eachlair Ùrlair gun robh a mhuime ag iarraidh cìr bhuidhe.

"Glè mhath, a ghaolain," thuirt an Eachlair Ùrlair. "Siud a' chìr thall air an dreasair. Thalla thusa is thoir leat i."

Fhad 's a bha an gille a' dol a-null, 's ann a thog an Eachlair Ùrlair slacan a bh' aice. Bhuail i leis an t-slacan e agus rinn i fitheach dubh dheth. Thòisich i ri lachanaich.

Chaidh am fitheach a-mach às an taigh air an sgèith. Fhad 's a bha e a' dol tron doras chuir e a-mach balgam fala air a' mhaide-buinn.

Cha robh an gille bu shine a' tighinn dhachaigh agus cha robh e a' tighinn dhachaigh agus mar sin chuir a mhuime suas an ath ghille bu shine a dh'fhaicinn dè bha ga chumail. Chaidh esan suas agus ghnog e air an doras.

"Am faca sibh mo bhràthair an-diugh?" dh'fhaighnich an gille. "Chuir mo mhuime suas e a dh'iarraidh na cìre buidhe."

"Chan fhaca, a ghràidhein." ars ise. "Ach seall; siud a' chìr thall air an dreasair. Thalla thusa agus thoir leat i."

Dh'fhalbh an gille bochd a-null agus fhad 's a bha e a' togail na cìre thog an Eachlair Ùrlair an slacan a-rithist. Bhuail i e leis agus chaidh fitheach eile a dhèanamh dheth. Thòisich an Eachlair Ùrlair ri lachanaich a-rithist.

Chaidh am fitheach sin a-mach às an taigh air an sgèith cuideachd. Nuair a bha e a' dol tron doras, chunnaic e am balgam fala air a' mhaide-buinn. Chuir e fhèin a-mach balgam eile ri thaobh.

Cha robh a-nis duine seach duine aca a' tighinn dhachaigh. Chaidh a' bhanrigh far an robh an gille a b' òige.

"Cha do thill do bhràithrean fhathast," ars ise. "Chan eil mi idir air mo dhòigh. Thalla suas is can riutha tilleadh. Tha mi ag iarraidh na cìre buidhe. An-diugh!"

Dh'fhalbh am fear beag suas agus ghnog e air doras an taighe.

"A bheil mo bhràithrean an seo?" dh'fhaighnich esan. "Chuir mo mhuime suas iad a dh'iarraidh na cìre buidhe."

"Chan eil, a ghaoil bhig," thuirt an Eachlair Ùrlair. "Chan fhaca mise duine fad an latha. Ach seall; siud a' chìr thall air an dreasair. Thalla thusa is thoir leat i."

Dh'fhalbh an gille bochd a-null agus fhad 's a bha e a' togail na cìre thog an Eachlair Ùrlair an slacan aon uair eile. Bhuail i e leis agus chaidh fitheach a dhèanamh dhethsan cuideachd. Cha robh stad air an Eachlair Ùrlair a-nis 's i ri lachanaich 's ri gàgail.

Dh'fhalbh am fitheach beag a-mach às an taigh air an sgèith agus fhad 's a bha e a' dol a-mach an doras, chuir e fhèin balgam fala a-mach ri taobh nam balgaman eile air a' mhaide-buinn.

Cha robh a-nis sgeul air gin dhe na gillean. 'S i an nighean bu shine dhiubh uile agus mu dheireadh, chaidh a' bhanrigh far an robh ise.

"Dè tha a' cumail nan gillean sin?" ars a' bhanrigh. "Thalla thusa is thoir dhachaigh iad. Agus dèan cinnteach gun toir sibh leibh dhachaigh a' chìr bhuidhe."

Chaidh an nighean suas agus ghnog i air an doras. Fhad 's a bha i a' feitheamh thug i an aire do thrì balgaman fala air a' mhaide-buinn.

"Dè a-nis," ars ise rithe fhèin,
"a th' air èirigh an seo?"

"Faca sibh," ars ise nuair a dh'fhosgail an Eachlair
Ùrlair an doras, "coltas mo bhràithrean an seo an-diugh?
Chuir mo mhuime suas iad a dh'iarraidh cìr bhuidhe."

"Chan fhaca, a ghalghad," thuirt an Eachlair Ùrlair, "ach thig fhèin
a-steach. Siud a' chìr thall air an dreasair. Thalla thusa agus thoir
leat i."

Fhad 's a bha an nighean a' dol a-null bha i a' cumail sùil air an
Eachlair Ùrlair. Nuair a chunnaic i i a' togail an t-slacain, thug i
cruinn-leum oirre agus thug i bhuaipe e. Bhuail i leis i agus chaidh
an Eachlair Ùrlair na carragh cloiche.

Cha robh guth air lachanaich a-nis.

Dh'fhuirich an nighean san taigh gus an tàinig an oidhche. Nuair a
bha i buileach dorcha, dh'fhosgail an doras agus thàinig a bràithrean
a-steach ann an cumadh ghillean a-rithist.

"Dè idir a dh'èirich dhuibh?" dh'fhaighnich ise.

"Tha sinn fo gheasaibh," dh'inns am fear bu shine dhi. "Chuir
an Eachlair Ùrlair ann an riochd fhitheach sinn. Bidh sinn anns an
riochd sin bho dh'èireas a' ghrian sa mhadainn gus an laigh i a-rithist
air an oidhche. Agus bho seo a-mach airson a' chòrr dhe ar beatha."

"Carson?" ars ise. "Dè rinn sinn a-riamh oirre?"

"Ar muime a bh' ann, saoilidh mi," ars am fear beag. "'S i chuir suas sinn, duine mu seach. Chan eil mi a' smaointinn gun robh i gar n-iarraidh tuilleadh."

"Agus mar sin chan urrainn dhutsa a dhol dhachaigh," ars am fear meadhanach. "A-chaoidh tuilleadh. Cò aig a tha fhios dè dhèanadh i ort?"

"Ach nach eil sìon a ghabhas dèanamh," dh'fhaighnich ise, "a bheir dhibh na geasan?"

"Tha aon rud a ghabhas dèanamh," ars a bràthair bu shine. "Ach cha dèan thusa e."

"Cluinneam e," ars ise.

Dh'inns iad dhi an uair sin gum feumadh i lèine a dhèanamh do gach duine aca dhe na lusan beaga ris an can iad 'canach an t-slèibhe', a tha a' fàs ann am boglaichean agus talamh fliuch eile.

"Ach on uair a thòisicheas tu a' buain a' chanaich," ars esan, "gus an latha a chanas tu, 'Meal do lèine, a mhìn bhràthair', chan fhaod thu aon fhacal a ràdh anns an ùine sin. No 's e fithich a bhios annainn gu bràth."

"Chì sinn," ars ise, "dè ghabhas dèanamh."

Thog i oirre an oidhche sin fhèin. Thug i leatha pocannan agus lìon i trì dhiubh le canach an-ath-latha. Lìon i trì eile an latha às dèidh sin agus trì air an treas latha. An uair sin bha i cho sgìth 's gun do laigh i sìos ann a shin fhèin ri taobh an rathaid mhòir.

Dhùisg i ann an dubh dhorchadas na h-oidhche. Bha fireannach

nach b' aithne dhi a' bruidhinn rithe.

"Cò thu?" bha e a' faighneachd. "Dè tha gad fhàgail an seo?"

Sheall i ris ach cha tuirt i guth.

"A nighean bhochd," thuirt an duine an uair sin. "Thig thusa dhachaigh còmhla riumsa agus coimheadaidh sinn às do dhèidh."

Chrath ise a ceann agus rug i air na pocannan.

"Na gabh dragh," ars esan. "Cha dèan duine sìon ort. Bheir sinn leinn na pocannan cuideachd."

Bha each aige agus cheangail e na pocannan ris an dìollaid mus do thog e ise suas cuideachd.

Mar sin, thug e dhachaigh i agus chunnaic i gur e duine-uasal a bh' ann, le taigh mòr is searbhantan. Thug e dhi seòmar dhi fhèin agus cuibheall-shnìomh agus thòisich i air obair a' chanaich, air a chàrdadh is a chìreadh is a shnìomh.

An toiseach bhiodh an duine-uasal ga sìor cheasnachadh, ach mu dheireadh thuig e gun robh i balbh agus sguir na ceistean. Thigeadh e far an robh i fhathast, ach a-nis cha dèanadh e ach suidhe ri taobh agus innse dhi mu na rudan a rinn e an latha sin, no na beathaichean is na h-eòin a chunnaic e, no na planaichean a bh' aige airson na h-oighreachd.

Agus an ceann greis 's ann air rudan na bu phrìseile a thòisich e a' bruidhinn, oir bha e air tuiteam ann an gaol rithe. Agus bha gaol mòr aicese airsan cuideachd, bhon a bha e cho coibhneil rithe agus a thug e a-staigh i nuair nach robh duine aice air an t-saoghal.

Nuair a bha càrdadh is cìreadh is snìomh a' chanaich deiseil, phòs an duine-uasal agus an nighean. Thòisich ise an uair sin air aodach fhighe airson na ciad lèine. Agus an oidhche a chuir i crìoch air an lèine sin agus a chuir i air falbh i ann am preas san t-seòmar aice, 's ann a rugadh an ciad mhac.

Bha an duine-uasal cho sona ris an rìgh. Ach làrna-mhàireach, nuair a dh'èirich a' ghrian, cha lorgadh iad an leanabh. Choimhead iad sa h-uile h-àite ach cha d' fhuair iad a-riamh sgeul air; bha e mar gum biodh e air a ghoid. Cha tuirt ise sìon, ach 's ann le sùilean dearg a chaidh i air ais do seòmar fhèin agus a thòisich i air obair a' chanaich a-rithist.

An oidhche a chuir i crìoch air an dàrna lèine, rugadh an dàrna mac.

An turas seo dh'fheuch an nighean agus an duine-uasal ri fuireach nan dùisg fad nan oidhcheannan agus nan làithean a lean. Ach bha na h-oidhcheannan cho fada is cho dorcha, agus bha iadsan cho sgìth. Air an treas oidhche, thuit iad le chèile nan cadal. Nuair a dhùisg iad sa mhadainn, cha robh an leanabh eatarra san leabaidh tuilleadh. Cha robh sgeul air an àite sam bith.

Thòisich daoine a-nis ag ràdh gun robh rudeigin ceàrr air an nighinn bhalbh. Thòisich iad ag ràdh gur dòcha gur e buidseachd a bh' air èirigh don chloinn agus gur ise bu choireach. Ach bha gaol aig an duine-uasal oirre agus chan èisteadh e riutha. Leig e leatha a dhol air ais do seòmar fhèin a thòiseachadh air an treas lèine. Agus an oidhche a chuir i crìoch air an lèine sin agus a phaisg i i agus a chuir i dhan a' phreas i, nach ann a rugadh an treas mac.

Cha mhòr gun do dh'fhàg an duine-uasal a' bhean agus an leanabh leotha fhèin airson diog. Fad oidhche is latha is oidhche eile bha e a' srì ri a shùilean a chumail fosgailte. Ach cha dèan duine a' chùis às aonais cadail agus mu dheireadh, chaidil iad.

Nuair a dhùisg iad sa mhadainn, cha robh sgeul air an leanabh.

Cha robh roghainn eile aig an duine-uasal a-nis ach èisteachd ris na casaidean a bha an aghaidh na mnà. Thuirt iad nach robh i nàdarra agus gun loisgeadh iad i, oir bha iad cinnteach gun robh i air a' chlann a mharbhadh. Cha mhòr nach do bhris cridhe an duine-uasail.

Chaidh an nighean a thoirt às an taigh tràth an-ath-mhadainn chun an àite far an robh fiodh air a chàrnadh suas airson an teine mhòir. Ach mus b' urrainn dhaibh a ceangal ris, dè chunnaic iad ach triùir mharcaichean a' tighinn. Bha gille beag aig aonan dhiubh na shuidhe air a bheulaibh, gille beag eile aig an dàrna fear air a cheangal air a chùlaibh, agus leanabh beag ùr aig an treas fear na ghàirdeanan.

Thàinig na marcaichean far an robh na daoine agus thàinig iad far nan each aca. Bhruidhinn am fear a bu shine ris an duine-uasal.

"Saoil am faigh sinn facal air do bhean?"

Thuirt an duine-uasal gum faigheadh agus chaidh an toirt don taigh. Thug ise iad don t-seòmar aice fhèin agus dh'fhosgail i am preas agus thug i mach na lèintean. Thog i a' chiad lèine.

"Meal do lèine, a mhìn bhràthair," ars ise, agus thug i do a bràthair a bu shine i.

Cha mhòr nach deach an duine-uasal an laigse nuair a chuala e i a' bruidhinn.

"Meal thusa do shlàinte, a mhìn phiuthar," thuirt a bràthair bu shine, agus thug e an gille beag a bha na ghàirdeanan don duine-uasal. "Seo dhuibh ur ciad mhac."

Thug i an uair sin an dàrna lèine do a bràthair meadhanach.

"Meal do lèine, a mhìn bhràthair."

"Meal thusa do shlàinte, a mhìn phiuthar." thuirt esan, agus thug e an gille beag eile don duine-uasal. "Seo dhuibh ur dàrna mac."

Thug i an uair sin an treas lèine do a bràthair beag.

"Meal do lèine, a mhìn bhràthair."

"Meal thusa do shlàinte, a mhìn phiuthar." thuirt esan, agus thug e dhi leanabh beag bìodach. "Seo dhut do mhac a rugadh a' bhòn-raoir."

Bha na deòir a' sruthadh sìos aodann na h-ìghne agus aodann an duine-uasail agus rug iad air a chèile. Dh'inns ise dha an uair sin mar a thachair dhaibh agus mar a rinn a' bhanrigh agus an Eachlair Ùrlair orra.

Dh'inns a bràithrean dhaibh gun robh iadsan air a' chlann a thoirt air falbh bhuaipe air eagal 's gun toireadh iad oirre bruidhinn agus gum milleadh iad a h-uile sìon a bha i air a dhèanamh airson an saoradh bho na geasan.

Nuair a b' urrainn dha bruidhinn a-rithist, gheall an duine-uasal

gun toireadh e dhachaigh iad gu taigh an athar. Thug iad leotha
a' chlann agus dh'fhalbh iad an-ath-latha. Nuair a ràinig iad an taigh,
bha an rìgh air leabaidh a bhàis. Bha e air a bhith na dhuine briste on
a chailleadh a chuid chloinne.

Nuair a chunnaic e a mhic agus a nighean a-rithist 's iad slàn,
fallain, bha an rìgh fhèin air a shlànachadh. Dh'inns iad dha mar
a thachair agus gheall e an sin fhèin gum biodh a' bhanrigh air a
losgadh agus an Eachlair Ùrlair air a sadail don mhuir. Ghabh an
nighean truas ris a' bhanrigh ge-tà agus cha do rinn iad ach a cur às
a' chaisteal gun bhrògan mu casan no cleòca mu druim.

Thill an uair sin an duine-uasal agus a bhean dhachaigh len triùir
ghillean beaga, tapaidh agus dealaichidh sinne riutha aig a sin fhèin.

Dubh a' Ghiuthais

Sgeulachd, mas fhìor, bho eachdraidh na h-Alba

O chionn fhada an t-saoghail, bha Alba air a còmhdach le craobhan. Bha coilltean mòra a' fàs air feadh na dùthcha, bho dheas gu tuath, anns an ear agus anns an iar agus anns na h-eileanan. Anns na coilltean seo bha iomadach seòrsa craoibhe a' fàs ach b' iad na craobhan-giuthais a b' àirde agus a bu rìoghaile dhiubh uile. Chun an latha an-diugh canaidh daoine air feadh an t-saoghail 'giuthas na h-Alba' ri seòrsa sònraichte de ghiuthas mar thoradh air cho pailt 's a bha e anns na coilltean mòra a bha nar dùthaich bho shean.

Tha tòrr chraobhan a' fàs ann an Alba fhathast. Nam falbhadh tu gu tuath air trèana à stèisean Sràid na Banrighinn ann an Glaschu no Waverley ann an Dùn Èideann, chitheadh tu coilltean mòra ann an Siorrachd Pheairt, is ann an Earra-Ghàidheal, is timcheall air a' chreig mhòir air a bheil Caisteal Shruighlea. Nan rachadh tu don Eilean Sgitheanach air trèana a' Chaoil, chitheadh tu coilltean mòra giuthais faisg air a' Phloc ann an Loch Aillse. Nan rachadh tu a dh'Inbhir Nis, chitheadh tu craobhan mòra, brèagha ann am Pàirc Nàiseanta a' Mhonaidh Ruaidh.

'S dòcha gu bheil thu cho fortanach 's gu bheil thu a' fuireach faisg air coille coimhearsnachd sa bheil ceuman coiseachd is fiosrachadh ri fhaighinn do dhaoine a tha ag iarraidh ionnsachadh *mu na craobhan is an àrainneachd.*

Chan eil na coilltean sin, ge-tà, ach beag an taca ris a' choille mhòir a bha uair ann an Alba. Chaidh cuid dhe na coilltean ùra a chur a dh'aon-ghnothaich gus am biodh fiodh againn airson rudan a thogail no mar chonnadh. Cha bhuin na craobhan sin do dh'Alba idir, ach do dhùthchannan eile mar Nirribhidh far am faighear craobhan a dh'fhàsas gu luath agus a sheasas ri droch shìde. Agus nan rachadh tu air a' bhàta a Leòdhas, no a Shealtainn, no air an trèana a Chataibh, chitheadh tu gur gann a tha craobhan idir a' fàs anns na h-àiteachan sin.

Anns na sgìrean anns nach eil craobhan a' fàs an-diugh, gheibhear rud ris an canar mòine. Gabhaidh mòine a bhuain às an talamh, a thiormachadh agus a losgadh ann an teine mar chonnadh. Uaireannan, chì na daoine a tha a-muigh a' buain mònach stocan is geugan craoibhe innte, 's iad air crìonadh is air fàs dubh. Buinidh iad sin don choille a bh' ann bho shean.

Dè idir a thachair do choille mhòr na h-Alba? Dè chuir às dhi agus a dh'fhàg mòine na h-àite? Carson a gheibhear stocan is geugan anns a' mhòine fhèin?

Seo mar a thathar ag aithris...

Cha robh cùisean riamh rèidh eadar rìghrean Alba agus rìghrean Lochlainn. Chan eil fearann math pailt ann an Lochlann idir agus bhiodh na Lochlannaich ag eudachd nuair a chitheadh iad na bh' aig dùthchannan eile de dh'fhearann anns an cuireadh iad coirce is eòrna is rudan math eile a chumadh an t-acras bho dhaoine. Tha an t-sìde ann an Lochlann gu math cruaidh agus bhiodh fir is mnathan is clann a' faighinn bàs a h-uile geamhradh le dìth bìdh.

Uaireannn eile bhiodh beathaichean a' faighinn bàs agus an uair sin cha bhiodh bainne no feòil no snàth aig daoine, no beathaichean òga nuair a thigeadh an t-earrach agus a leaghadh an sneachda a-rithist.

Thòisich na daoine ri fàs fiadhaich.

"Carson a tha fearann math aig daoine eile anns na dùthchannan beaga mu thimcheall oirnn nuair nach eil againn fhìn?" bhiodh iad a' faighneachd. "Carson a bhios na beathaichean againne a' faighinn bàs nuair a bhios na beathaichean acasan a' fàs reamhar? Tha thìd' againn a dhol a dh'iarraidh fearann nas fheàrr dhuinn fhìn."

Nise, bhon nach robh fearann math aig na Lochlannaich agus bhon a bha sìde chruaidh aca, bha iad a' cur feum air bàtaichean làidir, luath leis an rachadh iad a dh'iasgach. Bha craobhan beaga làidir a' fàs ann an Lochlann a sheasadh ris an droch shìde agus bhiodh na Lochlannaich a' leagail nan craobhan sin agus gan cleachdadh airson bàtaichean beaga, làidir a dhèanamh a sheasadh ri muir gharbh a' gheamhraidh.

"Seall na bàtaichean againn," thuirt na Lochlannaich. "Chan eil bàtaichean nas fheàrr air an talamh. Mas urrainn dhuinn bàtaichean-iasgaich a thogail a sheasas ri muir gharbh a' gheamhraidh, tha fhios gum b' urrainn dhuinn bàtaichean mòra a thogail a sheasadh ri cath is cogadh. An uair sin bhiodh e air chomas dhuinn a dhol a dh'iarraidh fearann math dhuinn fhèin."

"Seadh!" thuirt na Lochlannaich eile.

"Deagh phuing!"

"'S tu fhèin a thuirt e!"

73

Lean iad orra mar sin ag aontachadh ri càch a chèile airson greis gus an do chuir aon duine seòlta – a bha cuideachd caran leisg – stad orra.

"Fuirichibh mionaid," ars esan, "'s e tòrr obrach a tha sin agus dh'fheumamaid a dhol a dh'fhuireach air an fhearann. Nach biodh e na bu ghlice claidheamhan agus clogaidean a thoirt leinn agus stuth a ghoid? An uair sin 's e na daoine leis a bheil am fearann a dhèanadh an obair agus gheibheamaide a' bhuannachd airson a thoirt dhachaigh an seo."

"Seadh!" thuirt na Lochlannaich eile.

"Deagh phuing!"

"'S tu fhèin a thuirt e!"

Agus mar sin air adhart.

Anns na bliadhnaichean às dèidh sin, thog na Lochlannaich bàtaichean mòra, làidir le cinn mar dhràgoin agus thòisich iad ri thighinn gu deas a h-uile foghar a dhèanamh goid is creachadh air na daoine bochda ann an Alba is Èirinn is Sasainn. 'S e *vikingr* a chanadh iad riutha fhèin.

An-diugh bidh sinn a' cleachdadh an fhacail 'Viking' airson bruidhinn air muinntir Lochlainn air fad aig an àm sin, ach leis an fhìrinn tha am facal a' ciallachadh rudeigin coltach ri 'spùinneadair' no 'creachadair.' Agus ge brith dè tha e a' ciallachadh an-diugh, bha e a' ciallachadh 'fìor dhroch naidheachd' do mhuinntir Alba bho shean.

Bhiodh na beathaichean aca, an coirc' is an t-eòrna gan goid. Bhiodh òr is airgead na h-eaglaise agus a h-uile rud prìseil eile a bha san dùthaich air a thoirt air bòrd nan long-dràgoin. Bhiodh daoine air am marbhadh no air an toirt air ais à Alba mar thràillean.

"Dè nì sinn?" dh'fhaighnich muinntir Alba dha chèile. "Cha mhòr gu bheil grèim bìdh air fhàgail san dùthaich!"

Thòisich na daoine an uair sin ri smaointinn mu dhòighean air na Lochlannaich a chur air ais an taobh às an tàinig iad. Cha robh muinntir Alba cho eòlach air a bhith a' dol gu muir 's a bha na Lochlannaich, ach tha Alba air a cuartachadh leis a' mhuir agus bha iad eòlach gu leòr. Bha iad cuideachd gu math eòlach air a bhith a' sabaid. Mar sin, leag iad craobhan agus thòisich iad ri bàtaichean a thogail, is na taighean is na togalaichean aca a dhèanamh na bu làidire.

Nuair a chuala Rìgh Lochlainn mun ullachadh a bha muinntir Alba a' dèanamh, 's ann a thòisich e ri lachanaich.

"Ach chan eil duine air an t-saoghal as urrainn bàtaichean a thogail mar as urrainn dhuinne!" ars esan. "No a chuireas stad oirnn. Is sinne na Lochlannaich! Is sinne na *vikingr*! Chan eil fhios aca dè an ath àite anns an tig sinn air tìr!"

Gu mì-fhortanach do dh'Alba, 's e an fhìrinn a bh' aige. Chan e a-mhàin gun robh na Lochlannaich math air seòladh 's air sabaid. Bha iad cuideachd math air slighe a lorg tarsainn a' chuain. Cha robh guth air combaist no siostaman stiùiridh mar sin aig an àm ud, ach bhiodh na *vikingr* a' cleachdadh nan reultan, dreach a' chosta agus comharran nàdair airson siubhal astaran mòra air feadh an t-saoghail. Lorg iad Ameireaga ceudan bhliadhnaichean mus robh guth air Crìsdean Columbus. Cha robh e gu diofar dè dhèanadh muinntir Alba; thigeadh na Lochlannaich orra gun fhiosta agus 's ann leothasan a rachadh an latha.

Feumaidh gun robh Alba agus na h-àiteachan eile dhan deach na Lochlannaich a' còrdadh riutha, oir cha b' fhada gus an do dh'fhàs iad sgìth dhen chreachadh is dhen chogadh agus a theann iad ri smaointinn air làmh-an-uachdair fhaighinn air na dùthchannan air am biodh iad a' tadhal len claidheamhan is len clogaidean.

Saoil dè bha a' còrdadh riutha? An e am fearann torrach? An e bòidhchead na tìre? No an e craobhan mòra coille na h-Alba?

Thathar ag ràdh gun robh Rìgh Lochlainn ag eudachd gu mòr nuair a chuala e mu na craobhan mòra, àrda ann an Alba, a bha cho làidir, lùbach an taca ri craobhan beaga, biorach na dùthcha aige fhèin. Dè nach b' urrainn dha na Lochlannaich a dhèanamh nam biodh na craobhan sin aca airson bàtaichean a thogail? Dè na h-àitean dha nach b' urrainn dhaibh a dhol?

Tha e cho math nach robh guth aig duine an uair sin air a dhol chun na gealaich, air neo bhiodh na Lochlannaich air feuchainn ri seòladh ann anns a' bhad, ri bodach na gealaich a bhualadh air a cheann le claidheamh, is ri tòrr mòr càise a thoirt dhachaigh a Lochlann!

Mar a thachair, cha do rinn Rìgh Lochlainn mòran idir, oir dh'fhàs e cho fiadhaich 's e a' smaointinn air coille mhòr na h-Alba agus gun do dh'fhàs e tinn.

"Dè tha a' cur airsan?" dh'fhaighnich na Lochlannaich dha chèile.

"'S e Lochlannach a th' ann. Bu chòir dha bhith trang a' cur cath is cogadh ann an dùthchannan eile, seach a bhith na laighe tinn san leabaidh. Càit a bheil Dònan? Cuiridh ise ceart e. Nach e bana-bhuidseach a th' innte? Tha fhios gum b' urrainn dhi cungaidh air choreigin a dhèanamh dha."

Nise, bha fhios aig na Lochlannaich uile cò bh' ann an Dònan, ach chan eil agadsa agus mar sin leigidh sinn leothasan cumail orra a' gearan nam measg fhèin airson greis gus an cuir sinn sin ceart!

B' i Dònan nighean Rìgh Lochlainn agus, mar a tha na Lochlannaich air innse dhut, 's e nàdar de bhana-bhuidseach a bh' innte. Tha sin ri ràdh, gun robh i math air rudan a chur ceart (mar a thuirt na Lochlannaich an ceartuair). Nan robh duine tinn, dhèanadh Dònan cungaidh dha a bheireadh am pian 's am fiabhras air falbh. Nan robh duine air chall, chleachdadh Dònan geasan airson a lorg AGUS bheireadh i dha lof arain airson a toirt dhachaigh leis. Nam biodh sìon a dhìth air nighean Rìgh Lochlainn no air a h-athair, dhèanadh Dònan cinnteach gum biodh an rud sin air fhaighinn anns a' bhad.

Mar sin, nuair a dh'fhàs an rìgh tinn, thàinig Dònan far an robh e agus thug i dha a h-uile cungaidh air an robh i eòlach. Cha tàinig piseach sam bith air. Chleachd i an uair sin a h-uile geas air an robh i eòlach airson a leigheas. Cha tàinig piseach sam bith air. Chaidh i sìos air a glùinean agus thòisich i ri rànaich. Cha tàinig piseach sam bith air (tha seo a' sealltainn dhut nach eil rànaich gu feum sam bith).

"Athair," thuirt Dònan, "inns dhomh dè nì mi airson do leigheas. Nì mi rud sam bith. Rud sam bith!"

"Rud sam bith?" dh'fhaighnich a h-athair ann an cagair.

"Rud sam bith!" arsa Dònan.

"Rud sam bith!" arsa na Lochlannaich uile, a bha gu mòr airson 's gum biodh an rìgh air a leigheas gus am b' urrainn dhaibh tòiseachadh air cath is cogadh a chur ann an dùthchannan eile a-rithist.

"Rud sam bith," ars an Rìgh (na gabh dragh, tha cuideigin san sgeulachd seo a' dol a ràdh rudeigin eile a dh'aithghearr), agus thàinig gàire air aodann. "Rud sam bith."

Agus sin mar a thug iad air Dònan bhochd i fhèin a chur fo gheasaibh. Chaidh i na h-isean mòr, geal agus dh'fhalbh i air sgèith thar a' chuain gu ruige coille mhòr na h-Alba. Nuair a ràinig i taobh an ear coille mhòr na h-Alba, thug i mach slacan a bh' aice agus bhuail i na craobhan a b' àirde leis an t-slacan. Chaidh na craobhan sin nan teine anns a' bhad.

An ceann latha no dhà, nuair a chunnaic i gun robh a' choille na teine, dh'fhalbh Dònan dhachaigh a Lochlann.

An-ath-sheachdain, chaidh Dònan na h-isean a-rithist agus chaidh i air ais a dh'Alba a dh'fhaicinn mar a thachair don choille. Chunnaic i gun robh an taobh an ear dhith air a sgrios, ach bha cridhe na coille, an taobh an iar, an taobh tuath agus an taobh deas dhith uile ceart gu leòr.

Mar sin, thug Dònan a-mach an slacan a-rithist agus chaidh i gu deas. Nuair a bhuaileadh i craobh leis an t-slacan, rachadh a' chraobh sin na teine. Cha b' fhada gus an robh teine mòr anns a' choille gu deas.

Bha aig na beathaichean beaga agus aig na h-eòin ri teicheadh aig peilear am beatha mus biodh iad air am marbhadh leis an teas agus leis a' cheò. Chunnaic Dònan seo agus thàinig i a-nuas turas no dhà a thogail beathach beag a bha an impis a bhith air a ghlacadh leis an teine.

Bha aig na daoine a bha a' fuireach faisg air a' choille ri teicheadh cuideachd. Thàinig orra an dachaighean agus an achaidhean fhàgail. Bheireadh iad leotha am beathaichean is a h-uile sìon eile a b' urrainn dhaibh ach cha b' urrainn dhaibh an coirce is an eòrna is an àirneis uile a thoirt leotha. Bha iad sin air an sgrios leis an teine.

"'S e geamhradh cruaidh a bhios againn," thuirt na daoine, "'s sinn gun dachaigh 's gun bhiadh 's gun fhodar do na beathaichean."

"Seall!" dh'èigh aon ghille beag. "Seall an t-isean sin! Cho mòr 's a tha e! Cho dubh!"

Choimhead iad uile agus chunnaic iad Dònan os cionn an teine.

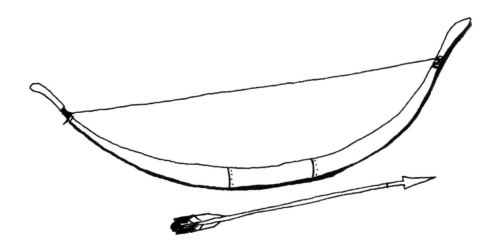

Bha i na bu mhotha na isean sam bith eile ann an Alba agus cha robh i geal tuilleadh, ach salach, dubh le ceò an teine.

Anns na làithean a lean, chunnaic mòran dhaoine eile Dònan cuideachd, agus chuimhnich iad oirre bhon a bha i cho mòr agus cho salach leis a' cheò. Turas no dhà, chunnaic na daoine i a' togail bheathaichean beaga agus gan sàbhaladh o lasairean an teine.

Nuair a bha i deiseil aig deas, dh'fhalbh Dònan dhachaigh a Lochlann a-rithist agus dh'inns i do h-athair mar a rinn i.

"Cha sgrios an teine gu deas a' choille gu lèir," dh'inns i dha. "Bidh agam ri dhol air ais dà thuras eile gus a' choille gu tuath agus a' choille an iar a sgrios. An uair sin cha bhi sìon air fhàgail."

"'S e nighean ghasta a th' annad," thuirt a h-athair. Bha esan cha mhòr air a shlànachadh a-nis.

Grunnan làithean às dèidh sin, thog Dònan oirre a-rithist agus chuir i teine ris a' choille gu tuath. Nuair a chunnaic na daoine an t-isean mòr, dubh a' falbh air sgèith os cionn an teine, chuimhnich iad air na bha iad ag ràdh mun isean a bh' air fhaicinn roimhe aig deas. Thug iad Dubh a' Ghiuthais air an isean, bhon a bha itean Dònan cho dubh leis a' cheò bho na craobhan-giuthais.

"Saoil an e Dubh a' Ghiuthais a tha a' cur teine ris na craobhan?" chanadh iad ri chèile.

"Tha fhios gur i," dh'aontaich iad. "Feumaidh sinn stad a chur oirre!"

Fhuair iad am boghaichean agus an saighdean agus dh'fheuch iad ri Dònan a leagail ach chaidh i ro àrd agus cha tàinig na saighdean faisg oirre. Nuair a bha a' choille gu tuath gu lèir na teine, theich i air ais a Lochlann. Chuir i seachad seachdain an sin a' deisealachadh airson tilleadh a sgrios na coille an iar.

Fhad 's a bha Dònan ann an Lochlann, bha muinntir na h-Alba gan deisealachadh fhèin cuideachd. Bha mòran dhiubh trang a' srì gus an teine a chur às agus a' togail thaighean agus bothain ùra dha na daoine a chaill an dachaighean anns an teine. Bha feadhainn eile, ge-tà, trang a' feuchainn ri smaointinn air dòigh gus Dubh a' Ghiuthais a mharbhadh.

"Ciamar a nì sinn e ge-tà?" dh'fhaighnich iad dha chèile. "Cha tèid na saighdean againn cho àrd sin. Dh'fheumadh Dubh a' Ghiuthais a thighinn na b' ìsle gus am b' urrainn dhuinn a dhèanamh."

An toiseach cha b' urrainn dhaibh smaointinn air dòigh air Dubh a' Ghiuthais a thoirt a-nuas, ach an uair sin chuimhnich aon duine air rud a chunnaic e nuair a chaidh a' choille gu tuath na teine.

"Nach do chuidich Dubh a' Ghiuthais na beathaichean a bha an impis bàsachadh san teine? Tha fhios gur e comharra a tha sin air cridhe bog. Feumaidh sinn rudeigin a dhèanamh a ghoirticheas cridhe Dubh a' Ghiuthais. Bheir sinn gu talamh i agus an uair sin loisgidh sinn oirre."

Mar sin, nuair a nochd Dònan anns na speuran os cionn na coille
an iar airson an sgrios mu dheireadh a dhèanamh, thug na daoine
na beathaichean beaga uile air falbh om màthraichean. Thug iad na
laoigh on chrodh, na h-uain o na caoraich agus na minn o na gobhair.
Lìon an t-adhar le mèilich is geumnaich is caoineadh.

Thòisich Dònan leis an t-slacan, ach an uair sin thug i an aire don
onghail shìos foidhpe air an talamh. Nuair a thuig i dè a b' adhbhar
dha, cha mhòr nach do bhris a cridhe. Thàinig i a-nuas anns a' bhad
a dh'fhaicinn dè ghabhadh dèanamh dha na beathaichean beaga,
bochda. Loisg na daoine oirre anns a' bhad agus thuit i marbh air an
talamh.

Nuair a thàinig na daoine na b' fhaisge air far an robh Dubh
a' Ghiuthais na sìneadh, cha b' e an t-isean dubh a chunnaic iad idir,
ach boireannach àlainn le falt dubh – Dònan. Thuig iad gur e
bana-phrionnsa a bh' innte, agus bana-bhuidseach.

Bha aodach brèagha air Dònan, le bràiste air gach gualainn,
agus bha seòrsa de chrùn òir air a ceann. Nuair a choimhead na
daoine air a' chrùn agus air na bràistean, dh'aithnich iad gur e
pàtrain Lochlannach a bh' orra. Chuimhnich iad an uair sin air na
sgeulachdan a chuala iad mu nighean Rìgh Lochlainn, a' bhana-
phrionnsa a bha cuideachd na bana-bhuidseach.

Nuair a chuala Rìgh Lochlainn mar a thachair do Dhònan, cha
mhòr nach do bhris a chridhe fhèin. Thàinig e ann am birlinn gu
ruige cost an iar Alba airson a corp a thoirt dhachaigh, ach dh'èirich
stoirm uabhasach agus chan fhaigheadh iad air cur air tìr. Mu
dheireadh, thàinig orra tilleadh dhachaigh às a h-aonais.

Chaidh Dònan a thiodhlacadh far an do thuit i, ri taobh an Locha Bhig, a tha an-diugh faisg air baile Dhùn Dòmhnaill ann an siorrachd Rois. Tha iad ag ràdh gum faic thu an tom sa bheil i chun an latha an-diugh.

Leth-cheannach Nighean a' Chait

Sgeulachd à Gàidhealtachd na h-Alba

Bha siud ann reimhid duine-uasal gasta aig an robh bean a bha cho bòidheach ri grian gheal an t-samhraidh agus cho laghach ris an òr. Cha robh aca riamh ach aon nighean agus bha ise fiù 's na bu bhòidhche agus na bu laghaiche na a màthair. Bha an teaghlach beag gu math sona gus an latha a fhuair a' bhean-uasal bàs. Bha an duine-uasal agus an nighean uabhasach brònach. Bha iad ga caoidh fad bliadhna is latha, ach an uair sin chuir an duine-uasal roimhe gum bu chòir dha pòsadh a-rithist gus am biodh màthair aig a nighinn aon uair eile, oir bha fios aige gun robh i ag ionndrainn a màthar fhèin.

'S e Cailleach nan Cearc a chanadh iad ris a' bhoireannach a phòs e. 'S e banntrach a bh' innte agus bha triùir nighean aice fhèin. Bha iadsan cho grànda agus a bha nighean an duine-uasail bòidheach. Bha iad cuideachd cho mosach agus a bha ise laghach. Bha eud is farmad uabhasach aca rim piuthar ùr.

Bha an rìgh a' cur cogadh ann an dùthaich eile aig an àm sin agus mar sin chaidh toirt air an duine-uasal a dhol a shabaid san arm. Mus do dh'fhalbh e, dh'iarr e air Cailleach nan Cearc a gealladh a thoirt dha gun coimheadadh i às dèidh na h-ìghne aige mar gum biodh i leatha fhèin.

"Ò nach ist thu," thuirt Cailleach nan Cearc. "Tha fhios gun coimhead."

85

Bha an duine-uasal uabhasach toilichte sin a chluinntinn. Thug e sporan làn òir do Chailleach nan Cearc a phàigheadh airson an nighean a chur don sgoil. Bha e an dòchas gum faigheadh i foghlam agus gur e bean-uasal mhòr a bhiodh innte.

Ghabh Cailleach nan Cearc an t-airgead ach cha do chuir i riamh nighean an duine-uasail don sgoil. Cho luath 's a bha an duine-uasal air falbh ann an còta an t-saighdeir, rinn i searbhant den nighinn. An àite bhith ag ionnsachadh litrichean is àireamhan is peantadh, 's ann a bhiodh i a-nis a' glanadh 's a' sguabadh 's a' frithealadh air nigheanan Cailleach nan Cearc. Bha iadsan glan air an dòigh leis an t-suidheachadh ùr seo agus chumadh iad nighean an duine-uasail air a casan bho mhoch gu dubh 's i a' ruith a ghlanadh am brògan is a dh'iarnaigeadh am frogaichean is a dh'iarraidh rudan dhaibh.

Fada air falbh ann an dùthaich eile, air an robh a' Ghrèig, bha mac an rìgh air tighinn gu aois. Bha athair airson gum pòsadh e ach cha robh e fhèin airson pòsadh idir. Chùm athair ag obair air gus an do ghèill e.

"Pòsaidh mi," ars esan, "an nighean as bòidhche air an t-saoghal."

Le bhith ag ràdh seo bha mac Rìgh na Grèige a' smaoineachadh gun robh e air a bhith air leth seòlta. Oir cò b' urrainn a ràdh gun robh e air an nighean a bu bhòidhche air an t-saoghal a lorg? Cò b' urrainn a bhith cinnteach à rud mar sin?

Bha Rìgh na Grèige na bu ghlice na mhac, ge-tà.

"Glè mhath, ma-thà," ars esan. "Thalla thusa agus faigh lorg oirre." Thionndaidh e an uair sin ri bhean. "Seallaidh sin dha," ars esan. "Bidh aige a-nis ri falbh a dh'fhaicinn an t-saoghail. Tha sin nas fheàrr na bhith na laighe san leabaidh fad an latha."

Bha Rìgh na Grèige ceart. Cha robh a-nis roghainn eile aig
a mhac ach falbh a shiubhal an t-saoghail. Thug e leis ridire a bhiodh
a' siubhal còmhla ris. A h-uile baile don tigeadh iad, rachadh an
ridire a-steach don taigh-sheinnse agus dh'innseadh e don a h-uile
duine a bha an làthair gun robh mac Rìgh na Grèige air an rathad
don àite agus e a' sireadh na tè bu bhòidhche air an t-saoghal airson
a pòsadh.

Rachadh an uair sin bàl a ghairm agus thigeadh a h-uile boireannach
agus nighean anns an àite anns an aodach bu spaideile a bh' aice 's i
an dòchas gur i a ghlacadh sùil a' phrionnsa. Cha b' fhada gus an do
dh'fhàs am prionnsa sgìth dhen seo, agus cha do lorg e nighean sam
bith a bhiodh e air pòsadh.

An ceann bliadhna is latha, thàinig am prionnsa agus an ridire don
bhaile san robh taigh an duine-uasail. Nuair a chuala Cailleach nan
Cearc gun robh bàl air a ghairm an ceann trì latha, theab i sracadh
leis an toileachas. Bha i cinnteach às gum pòsadh am prionnsa tè dhe
na h-ìghnean aice fhèin.

Cha robh mionaid fois aig nighean an duine-uasail fad nan trì
latha. Thug iad oirre an t-amar a lìonadh uair is uair, frogaichean
iarnaigeadh, brògan a ghlanadh, falt a chur ann am bachlagan agus
dathan a chur air an aghaidhean grànda. Bha iad fhèin cinnteach às
gum pòsadh am prionnsa tè dhen triùir aca.

Thàinig oidhche a' bhàil mu dheireadh thall agus dh'fhalbh
Cailleach nan Cearc agus a h-ìghnean ann an coidse òir a bh' air a
pàigheadh leis an airgead a dh'fhàg an duine-uasal airson an sgoil
a phàigheadh dha nighinn. Bha ise air a fàgail na h-aonar san taigh.

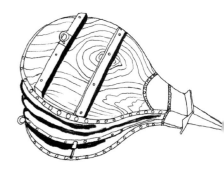

Bha i cho sgìth agus cho brònach agus gun do shìn i air an làr ri taobh an teine is thòisich i ri gal. An ceann greis, thuit i na cadal. 'S e am fuachd a dhùisg i, is an teine air a dhol bàs. Bha an taigh cho fuar ris a' phuinnsean.

O chionn fhada, cha bhiodh daoine ann an Alba a' leigeil le teintean a dhol bàs ach uair sa bhliadhna, aig fèis Bhealltainn. Bhiodh an uair sin èibhleagan air an cumail airson an teine a chur thuige a-rithist. Cha robh fhios aig nighean an duine-uasail ciamar a chuireadh i teine thuige nuair a bha e air a dhol dubh às mar a bha an teine a-nochd, agus bha an t-eagal oirre gun tigeadh droch fhortan uabhasach don taigh às aonais teine. Mar sin, thog i oirre gu taigh Leth-cheannach Nighean a' Chait, boireannach a bha a' fuireach anns an aon bhaile.

Bha daoine ag ràdh gur e bana-bhuidseach a bh' ann an Leth-cheannach Nighean a' Chait. 'S e a b' adhbhar don ainm neònach a bh' oirre gun robh an dàrna leth dhe h-aodann coltach ri aodann cait. Bha beagan de dh'eagal aig nighean an duine-uasail ro bhuidseachd is rudan mar sin, ach bha fhios aice gun robh Leth-cheannach Nighean a' Chait glic agus gun innseadh i dhi ciamar a chuireadh i an teine gu dol aon uair eile.

"Carson nach eil thu aig a' bhàl?" dh'fhaighnich Leth-cheannach Nighean a' Chait nuair a chaidh nighean an duine-uasail a-steach don taigh. "Bha dùil a'm gun robh mac Rìgh na Grèige ag iarraidh a h-uile nighean òg san dùthaich fhaicinn gus an lorg e tè a ghabhas e mar bhean?"

"Chuala mi gu bheil," thuirt nighean an duine-uasail, "ach tha Cailleach nan Cearc ag ràdh gur e searbhant a th' annamsa a-nis agus

nach bi duine a' toirt shearbhantan leotha nuair a thèid iad gu bàl."
Thug i sùil dhiùid air aodann neònach na bana-bhuidsich. "Nuair a
dh'fhalbh iad, thuit mi nam chadal agus leig mi leis an teine a dhol
bàs. Saoil am faigh mi èibhleag no dhà bhuaibhse a chuireas thuige e
a-rithist?"

"Gheibh gu dearbha," thuirt Leth-cheannach Nighean a' Chait,
agus thog i èibhleagan às an teine le clobha. "Thoir dhachaigh
iad anns a' bhad. Ach nuair a tha an teine beò a-rithist, till thusa
thugamsa. Chan e searbhant a th' annad ach nighean duine-uasail,
agus tha làn chead agad a dhol don bhàl."

Cha robh fhios aig an nighinn idir carson a bha Leth-cheannach
Nighean a' Chait airson gun tilleadh i, ach bha i taingeil airson nan
èibhleagan agus mar sin, cho luath 's a bha an teine beò, thill i don
taigh aice.

"Dùin an doras," thuirt Leth-cheannach Nighean a' Chait, agus
thug i mach slacan draoidheachd a bh' aice. Bhuail i nighean an
duine-uasail leis an t-slacan agus chaidh an seann ghùn robach a
bh' oirre na ghùn sìoda le dathan a' bhogha-froise. Chaidh na seann
bhrògan tacaideach aice nam brògan glainne agus nochd coron làn
dhaoimeanan air a ceann.

Cha b' urrainn do nighean an duine-uasail bruidhinn leis an
iongantas. Thug Leth-cheannach Nighean a' Chait a-mach i gu ceann
an taighe far an robh an t-seann aiseal agus an cù aice a' feitheamh.
Bha dìollaid air an aiseil le basgaid shlatach air gach taobh.

Bhuail Leth-cheannach Nighean a' Chait an aiseal leis an t-slacan
draoidheachd aice agus an-ath-mhionaid, chaidh i na làir bhrèagha,
gheal le cruidhean òir air a casan. Chaidh an cù na sheirbhiseach ann

an trusgan brèagha le putanan òir. Cha robh sgeul air na basgaidean tuilleadh ach bha dìollaid bhrèagha leathair agus aodach àlainn air an làir.

Chuidich an seirbhiseach nighean an duine-uasail le sreap suas air muin na làire.

"Feuch gum bi deagh oidhche agad," thuirt Leth-cheannach Nighean a' Chait rithe. "Ach ge brith dè nì thu, cuimhnich gum feum thu falbh ro mheadhan-oidhche. Cha mhair a' gheasachd nas fhaide na sin."

Dh'fhalbh an nighean agus an seirbhiseach a dh'ionnsaigh a' bhàil. Mun àm a ràinig iad bha a h-uile duine san àite air an làr-dhannsaidh. Stad iad, ge-tà, nuair a thàinig nighean an duine-uasail a-steach. Ged a bha seudan a' deàlradh air broilleach a' ghùin aice, agus ged a bha gleans às na brògan glainne, 's e bòidhchead a h-aodainn a bh' air am beò-ghlacadh.

Cò i? Cò às a thàinig i? Cha robh for aig duine.

Thàinig mac Rìgh na Grèige far an robh i agus dh'iarr e oirre dannsa còmhla ris. Cha mhòr gun tàinig iad far an làr-dhannsaidh às dèidh sin agus cha robh guth air a' chlann-nighean eile a bh' air tighinn cruinn an oidhche sin airson a shùil a ghlacadh. Chan fhaca e na bheatha tè coltach ri nighean an duine-uasail. Nuair a thàinig meadhan-oidhche, ge-tà, cha robh sgeul oirre. Bha i air falbh an taobh às an tàinig i, agus cha robh for aig duine cò an taobh a bha sin.

Cha do bhruidhinn iad air sìon eile fad na h-oidhche. Bha Cailleach nan Cearc agus a h-ìghnean fhathast a' bruidhinn oirre nuair a thàinig iad dhachaigh agus a shuidh iad aig a' bhòrd a ghabhail na dinnearach a bha nighean an duine-uasail air a dheasachadh dhaibh. Cha robh iadsan air an dòigh idir. Bha an tè seo, nach b' aithne do dhuine aca, air aire mac Rìgh na Grèige a chumail bhuapa fhèin. Cò i airson sin a dhèanamh? Nach ann oirre a bha an aghaidh?

Cha robh mac Rìgh na Grèige air a dhòigh na bu mhotha. Bha an nighean a bu bhòidhche air an t-saoghal air a bhith aige na ghàirdeanan agus bha i air teicheadh bhuaithe ro dheireadh na h-oidhche. Thug e air an ridire bàl eile a ghairm 's e an dòchas gun nochdadh i a-rithist.

Chaidh am bàl a ghairm agus cha robh duine san dùthaich a' bruidhinn air sìon eile. Bha obair mhòr aca ri dhèanamh oir dh'fheumadh iad gùintean is brògan is seudan eile a lorg a chuireadh iad orra chun an dàrna bàil. Bha iad air na rudan a b' fheàrr a bh' aca a chur orra an turas mu dheireadh.

Thug nighean Cailleach nan Cearc air nighean an duine-uasail froga ùr an urra a dhèanadh dhaibh. Cha do chaidil i fad trì latha is trì oidhche leis na bh' aice ri dhèanamh. Mun àm a dh'fhalbh iad chun a' bhàil, bha i glè thoilichte suidhe leatha fhèin an tac an teine a' gabhail fois. An ceann mionaid no dhà thuit i na cadal agus nuair a dhùisg i bha an teine air a dhol bàs a-rithist.

Thog an nighean oirre gu taigh Leth-cheannach Nighean a' Chait a-rithist.

"Carson nach eil thu aig a' bhàl?" dh'fhaighnich Leth-cheannach Nighean a' Chait. "Chuala mi gun robh mac Rìgh na Grèige gu math dèidheil air nighean air an robh froga sìoda le dathan a' bhogha-froise."

Dh'fhàs nighean an duine-uasail dearg. "Chan eil aodach agam a bheir gu bàl mi," ars ise. "Chan eil fiù 's an gùn ioma-dhathach agam, oir dh'fhalbh sin nuair a dh'fhalbh a' gheasachd eile."

"Thalla dhachaigh agus cuir thuige an teine," thuirt Leth-cheannach Nighean a' Chait, "agus an uair sin till an seo cho luath 's as urrainn dhut."

Rinn nighean an duine-uasail mar a chaidh iarraidh oirre. Dh'fhalbh i dhachaigh, chuir i thuige an teine agus an uair sin thill i a thaigh Leth-cheannach Nighean a' Chait. Bhuail Leth-cheannach Nighean a' Chait i leis an t-slacan agus chaidh an seann ghùn robach aice na ghùn de dh'iteagan eòin. Cha robh dà iteig dhen aon seòrsa ann agus bha a h-uile dath fon ghrèin sa ghùn. Bha na brògan còmhdaichte le neamhnaidean ioma-dhathach.

Chaidh iad a-mach far an robh an aiseal agus an cù a' feitheamh. Bhuail Leth-cheannach Nighean a' Chait an aiseal leis an t-slacan agus nochd an làir bhrèagha agus an seirbhiseach spaideil a-rithist. Chaidh nighean an duine-uasail air muin na làire agus thog iad orra gu talla a' bhàil.

Nuair a nochd nighean an duine-uasail anns an doras, stad an dannsa agus sheall a h-uile duine san talla oirre le annas agus le iongantas. Ach ged a sgrùd iad a h-aodann, cha do dh'aithnich duine i, agus cha robh beachd aca idir cò às a thàinig i. Thug iad uile ceum air ais agus choisich mac Rìgh na Grèige suas eatarra gus an robh e na sheasamh mu coinneimh. Thug e a dhannsa i agus cha do leig e às i fad na h-oidhche. Ro mheadhan-oidhche, ge-tà, chaidh aice air faighinn air falbh agus theich i às an talla.

Bha mac Rìgh na Grèige a-nis cha mhòr dheth fhèin agus thug e air an ridire bàl eile a ghairm mus robh an oidhche seachad. Thàinig Cailleach nan Cearc agus a h-ìghnean dhachaigh agus, fhad 's a bha iad ag ithe na dinnearach a rinn nighean an duine-uasail dhaibh, cha robh guth aca air sìon ach an nighean a nochd aig a' bhàl – cò i, cò às a bha i agus dè idir a bha fa-near dhi, a' teicheadh mar sin ro dheireadh na h-oidhche.

"'S dòcha," arsa Cailleach nan Cearc, "gu bheil i pòsta aig cuideigin eile."

"'S dòcha gu bheil," arsa na h-ìghnean, agus dh'fhàs iad beagan na bu dhòigheile le bhith a' smaointinn air sin.

Bha a-nis a h-uile maighdeann anns an dùthaich a' sabaid airson nam pìosan aodaich mu dheireadh a bh' air fhàgail anns na bùithtean gus am b' urrainn dhaibh gùintean ùra a dhèanamh airson an treas bàil. Thug nighnean Cailleach nan Cearc air nighean an duine-uasail gùintean a dhèanamh dhaibh le aodach is snàth de dh'òr is airgead. Mun àm a dh'fhalbh iad chun a' bhàil bha a làmhan bochda goirt is dearg leis an obair. Thuit i na cadal a-rithist agus thàinig oirre tilleadh gu taigh Leth-cheannach Nighean a' Chait a dh'iarraidh èibhleagan airson an teine a chur thuige.

An turas seo rinn Leth-cheannach Nighean a' Chait gùn dhi anns an robh a' ghealach agus na reultan, agus brògan daoimein. Dh'fhalbh i fhèin agus an seirbhiseach agus nuair a ràinig iad an talla, bha mac Rìgh na Grèige a' feitheamh aig an doras. Thug e a-staigh i agus cha do leig e às i fad na h-oidhche. Nuair a thàinig meadhan-oidhche, cha robh e furasta faighinn air falbh bhuaithe agus dh'fheumadh i a casan a thoirt leatha gus nach biodh i fhathast anns an talla nuair a dh'fhalbhadh a' gheasachd. Leis a' chabhaig a bh' oirre, thàinig aon bhròg daoimein dhith agus b' fheudar dhi a fàgail far an do thuit i. Lorg mac Rìgh na Grèige i nuair a thàinig e às an talla na dheann 's e air toirt an aire gun robh nighean an duine-uasail air teicheadh aon uair eile.

Chaidh mac Rìgh na Grèige air ais don talla agus thug e a' bhròg don ridire.

"Falbhaidh sinn a-màireach," ars esan, "agus cha stad sinn gus an lorg sinn an tè air an tèid a' bhròg seo, oir 's ise an nighean as bòidhche air an t-saoghal, agus cha phòs mi tè ach i."

Cha b' urrainn do nighnean Cailleach nan Cearc grèim ithe no balgam òl nuair a chuala iad gun robh mac Rìgh na Grèige a' tighinn an rathad leis a' bhròig dhaoimein. Chuir iad orra an gùintean a b' fheàrr a-rithist agus phut iad agus bhrùth iad a chèile gus am faigheadh iad a-mach ga choinneachadh.

Thàinig an ridire leis a' bhròig agus, tè mu seach, dh'fheuch nighnean Cailleach nan Cearc orra i. Bha casan na ciad tè fada ro fhada agus ged a gheàrr i a h-ìnean agus a bhrùth i agus a bhrùth i, cha rachadh a' bhròg oirre. Bha casan na dàrna tè ro leathann agus ged a bhrùth i agus a bhrùth i gus nach mòr nach robh na cnàmhan beaga na cois briste, cha rachadh a' bhròg oirre. Cha robh casan na treas tè buileach cho fada no cho leathann ri casan a peathraichean agus nuair a gheàrr ise a h-ìnean agus a bhrùth i agus a bhris i na cnàmhan beaga na cois, 's ann a chaidh a' bhròg oirre.

Cha robh mac Rìgh na Grèige idir air a dhòigh, ach bha e air gealltainn gum pòsadh e an tè air an tigeadh a' bhròg agus a-nis cha robh roghainn eile aige ach nighean Cailleach nan Cearc a phòsadh. Bha i fhèin agus Cailleach nan Cearc glan air an dòigh. Bha eud is

farmad air an dithis nighean eile rim piuthar, agus cha mhòr nach
robh cridhe nighean an duine-uasail briste.

Air latha na bainnse, dh'fhàg Cailleach nan Cearc nighean an
duine-uasail aig an taigh 's i a' glanadh agus a' sguabadh agus
a' dèanamh a' bhìdh airson na dinnearach. Nuair a dh'fhalbh bean na
bainnse air muin eich leis a' chuideachd gu lèir ga leantainn, shuidh
nighean an duine-uasail sìos ri taobh an teine agus thòisich i ri gal.

Bha mac Rìgh na Grèige agus an ridire air leth brònach 's iad
a' coiseachd gu ruige na h-eaglaise. Letheach sìos an rathad, nochd
eun san speur os cionn an rathaid agus thòisich e ri seinn:

"A' chas a th' air an dìollaid

tha i brùite, briste.

Ach a' chas don tig a' bhròg sin

Tha i sin – ach anns a' chidsin."

"Dè tha sin?" dh'fhaighnich am prionnsa.

"Chan eil sìon," arsa Cailleach nan Cearc gu luath. "Ceilearadh
eòin."

Rug Cailleach nan Cearc air srian each a' phrionnsa agus shlaod
i air adhart e ach lean an t-eun iad agus chùm e air a' seinn:

"A' chas a th' air an dìollaid

tha i brùite, briste.

Ach a' chas don tig a' bhròg sin

Tha i sin – ach anns a' chidsin."

An turas seo cha tuirt mac Rìgh na Grèige guth ri Cailleach nan Cearc ach thionndaidh e an t-each agus rinn e air an taigh. Ri taobh an teine lorg e nighean an duine-uasail agus dh'aithnich e sa bhad i. Thog e suas na ghàirdeanan i agus thug e às an taigh i sa bhad.

Thàinig an duine-uasal dhachaigh on chogadh nuair a phòs mac Rìgh na Grèige agus an nighean aige. Nuair a chuala e mar a rinn Cailleach nan Cearc air a nighinn, chuir e ise agus a h-ighnean grànda a-mach às an taigh.

Cha do dhìochuimhich duine aca riamh na rinn Leth-cheannach Nighean a' Chait dhaibh agus cha robh feum aicese air geasachd tuilleadh, oir bha eich is cairtean aice, taigh ùr, gùintean rìomhach agus barrachd bìdh na dh'itheadh i na beatha.

Moilidh Chalma

Sgeulachd à Alba

Bha siud ann reimhid triùir pheathraichean air an robh Sìne, Cairistìona is Moilidh. Cha robh athair nam peathraichean beò tuilleadh agus cha robh mòran airgid aig am màthair. Aon latha, dh'inns i dhaibh nach robh biadh air fhàgail san taigh, ach a-mhàin trì bonnaich.

Choimhead Sìne ri casan agus thòisich Cairistìona ri gal. Rinn Moilidh drèin riutha agus an uair sin rinn i gàire ri màthair.

"Chan eil ach aon rud ri dhèanamh," ars ise. "Feumaidh sinn a dhol a dh'iarraidh an fhortain. Mi fhìn, is Sìne is Cairistìona."

"Sinne?" arsa Sìne, nach robh cleachdte ri bhith a' dèanamh mòran idir. "A dh'iarraidh …"

"… an fhortain?" arsa Cairistìona. Bha i fhèin fiù 's na bu leisge na Sìne. Nam faigheadh i às leis, dh'fhanadh i san leabaidh fad an latha fhad 's a bheireadh a màthair biadh is deochan suas thuice.

"Seadh," arsa Moilidh. "'S e clann-nighean mhòra, thapaidh a th' annainn, nach e? Feumaidh sinn cuideachadh a thoirt dar màthair."

"Ò, a Mhoilidh," ars am màthair. "Mo bheannachd ort."

Cha robh Sìne is Cairistìona air an dòigh idir, ach nuair a chunnaic iad cho toilichte 's a bha am màthair, cha b' urrainn dhaibh diùltadh falbh còmhla rim piuthar. Le droch shùil air Moilidh, ma-thà, chuir iad orra an còtaichean agus am brògan agus lorg iad poca anns an cuireadh iad biadh airson an turais.

"Thoiribh leibh na bonnaich," ars am màthair. Dh'fhosgail i am preas is thug i na bonnaich a-mach.

"Tha aonan dhiubh nach eil ach beag," thuirt Sìne.

"Glè bheag," thuirt Cairistìona.

"Tha sin fìor," ars am màthair, "ach ge brith cò an tè a ghabhas am bonnach beag, bheir mi dhi mo bheannachd cuideachd."

Thug Sìne agus Cairistìona sùil oirre mar gum biodh i gun chiall. An uair sin thog iad na bonnaich mhòra. Cha robh air fhàgail ach am fear beag do Mhoilidh.

"Gabhaidh mise am bonnach beag," arsa Moilidh gu sunndach. "Oir b' fheàrr leam beannachd mo mhàthar uair sam bith seach barrachd bìdh."

Thug a màthair pòg dhi. "Mo bheannachd ort, a Mhoilidh," ars ise. "Chan eil fhios a'm dè dhèanainn às d' aonais."

"Chan eil fhios a'm dè dhèanainn às d' aonais," arsa Sìne ri Cairistìona gu fanaideach.

"Tud," thuirt Cairistìona. "Cha chùm beannachd an t-acras bhuaipe. Òinseach." Thionndaidh i an uair sin ri Moilidh. "Thugainn, a Mhoilidh," ars ise. "Ma dh'fheumas sinn falbh, 's fheàrr dhuinn falbh mus fhàs i dorcha."

Thog iad orra às an taigh agus lean iad frith-rathad beag a bha a' dol suas do na beanntan. Fad an rathaid bha Moilidh a' seinn no a' feadalaich agus a' cumail còmhradh ri peathraichean. Cha robh mòran aig na peathraichean ri ràdh, ach a-mhàin gun robh an casan gan goirteachadh no gun robh iad a' fàs sgìth.

"B' fheàrr leam," arsa Sìne, "nach robh sinn air an taigh fhàgail idir. 'S e plana gòrach a tha seo."

"'S e," arsa Cairistìona. "Bha sinn air airgead a chosnadh dòigh air choreigin."

"Tha thu ceart, a Chairistìona," arsa Sìne. "Dh'fhaodadh ar màthair a bhith air nigheadaireachd a dhèanamh do dhaoine eile, no air a dhol a chòcaireachd dhaibh."

"Dh'fhaodadh," arsa Cairistìona, "'s truagh nach tuirt thu sin mus do dh'fhàg sinn an taigh, a Shìne."

Bha Moilidh a' fàs fiadhaich 's i ag èisteachd ri seo ach bha i eòlach air a peathraichean agus cha do leig i oirre. "Cò aig a tha fhios," ars ise, "'s dòcha gun coinnich sibh ri dithis fhear-uasal beairteach a phòsas sibh."

"Ò," arsa Sìne.

"À," arsa Cairistìona.

"Seadh," arsa Moilidh.

"Ach bidh na dreasaichean agus na brògan againn air am milleadh le dust an rathaid mhòir," arsa Sìne gu gearaineach. "Cò an duine-uasal a phòsas tè air a bheil coltas mar sin?"

"Tha thu ceart, a Shìne," arsa Cairistìona. "Ò, 's e plana gu math gòrach a tha seo."

An uair sin shlaod Cairistìona Sìne gu aon taobh gus nach cluinneadh Moilidh iad.

"Tha Moilidh cho sunndach fad na h-ùine," thuirt Cairistìona gu socair. "Dè nan taghadh na fir-uasal ise airson a pòsadh?"

Dh'fhàs Sìne feargach. "Smaoinich!" ars ise. "Peasan beag! A' goid nam fear againne mar sin. Bu chòir nàire bhith oirre!"

"Nach biodh e na b' fheàrr," arsa Cairistìona, "mura biodh i còmhla rinn idir?"

Mar sin, an ath thuras a thàinig iad gu àite far an robh clach mhòr ri taobh an rathaid, 's ann a leum na peathraichean air Moilidh 's a cheangail iad i ris a' chloich.

"Bidh sinn nas luaithe às d' aonais, a Mhoilidh," arsa Cairistìona. "Ach tillidh sinn gad iarraidh. Cha tèid thu air chall leis mar a tha thu a-nis air do cheangal ris a' chloich."

"Cha tèid," arsa Sìne. "Nach e peathraichean gaolach a th' annainn, 's sinn a' coimhead às do dhèidh fad na h-ùine?"

Thog Cairistìona agus Sìne orra suas an rathad. Chrath Moilidh a ceann.

"Tillidh sibh gam iarraidh, an till?" ars ise rithe fhèin. "Saoilidh mi gum bi mi a' feitheamh greis mus tachair sin."

Cha robh an còrr ann a dhèanadh Moilidh agus mar sin shuidh i far an robh i. An ceann greis chuala i feadalaich agus an uair sin chunnaic i cuideigin a' tighinn. 'S e seann bhodach a bh' ann agus bha coltas bochd air, le aodach robach is aodann salach.

"Dè tha seo?" dh'fhaighnich am bodach. "Nighean bheag air a ceangal ri cloich? Cò idir a rinn seo ort, a chreutair bhochd?"

Thug am bodach a-mach sgian agus gheàrr e an ròpa a bha a' ceangal Moilidh. An uair sin thog e teine agus rinn e teatha don dithis aca. Thug Moilidh a-mach am bonnach agus thug i an dàrna leth dheth dhan bhodach. Chuir i an leth eile air ais na pòcaid.

"Nach eil an t-acras ort fhèin?" dh'fhaighnich am bodach.

"Tha," arsa Moilidh, "ach thug mo mhàthair am bonnach dhomh le beannachd agus bu mhath leam a chumail greis eile." Dh'inns i dha an uair sin mu peathraichean agus mar a rinn iad oirre.

"Uill," ars am bodach, "Bha mi am beachd a dhol an rathad eile an-diugh, ach an uair sin ghabh mi nòisean air choreigin tighinn an taobh seo. 'S dòcha gur e beannachd do mhàthar a chuir am beachd nam cheann."

"'S dòcha gur e," arsa Moilidh le gàire.

Dh'òl iad an teatha agus an uair sin thuirt Moilidh gum bu chòir dhi a dhol a lorg a peathraichean.

"Gura math a thèid leat, a Mhoilidh," ars am bodach. "Thoir leat seo, agus ma dh'fheuchas iad an aon rud ort a-rithist, gheibh thu air falbh." Thug e dhi sgian bheag.

Thug Moilidh taing dha agus chuir i an sgian dhan phòcaid eile. An uair sin leig i soraidh leis a' bhodach agus thog i oirre suas an rathad. Mu bheul na h-oidhche lorg i a peathraichean 's iad nan suidhe ri taobh an rathaid ag argamaid ri chèile.

"Seall!" arsa Cairistìona ri Sìne. "Cò às a thàinig ise?"

"A Mhoilidh!" arsa Sìne ri Moilidh. "Bha sinn dìreach a' dol a thilleadh gad iarraidh!"

Cha tuirt Moilidh guth mun bhreug seo ach rinn i gàire riutha. "Uill, shàbhail mi beagan ùine dhuibh ma-thà."

Rinn Moilidh teatha dhaibh uile agus an uair sin chaidh iad a laighe.

Làrna-mhàireach, thòisich na peathraichean a' gearan.

"Dè tha ceàrr oirbh?" dh'fhaighnich Moilidh.

"Chan eil bracaist againn," thuirt Sìne.

"Càit a bheil na bonnaich agaibh?" dh'fhaighnich Moilidh.

Thug Cairistìona sùil oirre. "Dh'ith sinn iad a-raoir."

"Ò," arsa Moilidh.

"Nach do dh'ith thusa am fear agadsa?" dh'fhaighnich Sìne.

"Dh'ith," arsa Moilidh. 'Ma chanas mi riutha nach do dh'ith,' smaoinich i rithe fhèin, 'ithidh iad sin cuideachd agus cha bhi sìon agamsa idir.'

Thog iad orra a-rithist. Cha robh iad air a dhol fad sam bith nuair chuala Moilidh Sìne is Cairistìona a' cagarsaich ri chèile.

"Saoil ciamar a fhuair i air falbh?"

"Cò aig tha fhios? Chan fhaigh an-ath-turas."

An ceann treis, thàinig iad gu àite anns an robh cruach-mhònach agus leum Sìne is Cairistìona air Moilidh agus cheangail iad i ris a' chruaich.

"Nise, a Mhoilidh," arsa Sìne, "fan thusa an sin. Tillidh sinn gad iarraidh feasgar."

Thog Sìne is Cairistìona orra. Dh'fhan Moilidh gus nach fhaiceadh i tuilleadh iad mus tug i mach an sgian agus an do ghèarr i an ròpa a bha ga ceangal. An uair sin ghabh i cuairt bheag agus fhuair i creamh agus balgan buachair is rudan eile a bha math rin ithe. Rinn i teine le fàdan mònach agus bhruich i iad. Bha deagh bhracaist aice agus às dèidh dhi ithe, rinn i norrag bheag. Nuair a dhùisg i a-rithist, thog i oirre a lorg a peathraichean.

Cha robh i fada gan lorg, oir cha robh Sìne is Cairistìona air a dhol fad sam bith. Bha iad nan suidhe ri taobh an rathaid 's iad a' trod 's a' gearan. Nuair a chunnaic iad Moilidh, cha tuirt iad guth ach thàinig drèin air aodann Shìne agus chaidh bilean Chairistìona nan loidhne theann.

Nuair a chaidh iad a laighe an oidhche sin, dh'fhuirich Sìne is Cairistìona gus an robh Moilidh na cadal agus an uair sin choimhead iad na pòcaid. Cha do lorg iad am bonnach, oir bha Moilidh na laighe air a taobh agus bha am bonnach anns a' phòcaid a bha foidhpe, ach lorg iad an sgian agus thug iad air falbh i.

"Sin mar a fhuair i air falbh," thuirt Sìne, agus chuir i an sgian na pòcaid fhèin. "Peasan beag."

Chuir iad clach bheag ann am pòcaid Moilidh an àite na sgeine.

"Chì sinn an tèid aice air an ròpa a ghearradh le sin," thuirt Cairistìona le gàire.

Làrna-mhàireach, thog iad orra a-rithist agus thàinig iad gu coille. Leum Sìne is Cairistìona air Moilidh agus cheangail iad ri craobh i. Dh'fhàg iad ann a shin i agus thog iad orra sìos an rathad.

Dh'fhan Moilidh gus nach fhaiceadh i iad tuilleadh agus an uair sin chuir i a làmh na pòcaid. Nuair a thug i a-mach a-rithist i agus a chunnaic i gur e clach a bh' aice an àite na sgeine, chrath i a ceann.

"Nach sibh a tha seòlta, a pheathraichean," ars ise rithe fhèin. Chuir i an uair sin a làmh na pòcaid eile agus thug i a-mach am bonnach. "Uill," ars ise. "Dh'fhàg iad sin agam co-dhiù."

Cha robh an còrr ann a dhèanadh Moilidh agus mar sin shuidh i far an robh i. Shuidh i cho socair agus gun do dh'fhàs na beathaichean agus na h-eòin agus na biastagan beaga cleachdte rithe. Thàinig iad na b' fhaisge air Moilidh agus choimhead iad oirre le sùilean diùid.

"Seo dhuibh," arsa Moilidh riutha, agus thòisich i a' caitheamh chriomagan dhen bhonnach air an talamh. Dh'ith na beathaichean is na biastagan is na h-eòin na criomagan agus an uair sin thàinig iad far an robh Moilidh agus thòisich iad a' cagnadh an ròpa a bha ga ceangal. Cha b' fhada gus an robh an ròpa air a ghearradh.

"Ò, tapadh leibh," arsa Moilidh. "Tapadh leibh gu dearbh."

Chaith Moilidh criomagan eile air an talamh gu na beathaichean agus an uair sin thog i oirre suas an rathad. Mu bheul na h-oidhche ràinig i an t-àite san robh a peathraichean. Bha iadsan nan laighe air an talamh 's iad a' caoidh 's a' caoineadh leis an acras.

"Ciamar idir," arsa Sìne, nuair a chunnaic i Moilidh, "a fhuair thu air falbh an turas seo?"

"Beannachd mo mhàthar," arsa Moilidh. "Dhìon sin bho dhroch rùn mo pheathraichean mi."

"Tud," arsa Sìne. "Bha sinn a' dol a thilleadh gad iarraidh."

"An dìon beannachd ar màthar on acras sinn?" dh'fhaighnich Cairistìona. "Mus bàsaich sinn?"

"Ma gheallas sibh," arsa Moilidh, "nach fheuch sibh cleasan mar sin a-rithist, nì mise biadh dhuibh. Agus cha leig sibh a leas a ràdh gun robh sibh a' dol a thilleadh gam iarraidh. 'S e breug a tha sin."

Bha na peathraichean sàmhach airson diog. "Chan fheuch," arsa Sìne mu dheireadh.

"Ar gealladh dhut," arsa Cairistìona. "Tha mi duilich, a Mhoilidh."

'S i Cairistìona a thug orm a dhèanamh co-dhiù. Cha robh mise ag iarraidh d' fhàgail ri taobh an rathaid mar siud."

"Na breugan!" arsa Sìne. "Cha b' e na mise! Thusa a bh' ann!"

Roinn Moilidh na bh' air fhàgail dhen bhonnach eatarra agus dh'fhàg i iad ag argamaid fhad 's a chaidh i fhèin a lorg biadh. Cha robh i air a dhol fad' sam bith nuair a chunnaic i ceò ag èirigh à similear mu mhìle air falbh.

"A Shìne! A Chairistìona!" dh'èigh Moilidh. "Thugnaibh! Tha mi a' faicinn taigh! Gheibh sinn biadh ceart a-nochd, agus leabaidh anns an caidil sin!"

Thug an naidheachd sin spionnadh ùr do Shìne is do Chairistìona. An ceann cairteal na h-uarach bha an triùir aca nan seasamh air an staran taobh a-muigh an taighe. Dh'fhosgail an doras agus choimhead boireannach a-mach.

"Mach à seo, a chlann-nighean," ars am boireannach. "Gabhaibh dhachaigh. Chan e àite a tha seo dur leithid."

"Gabhaibh ar leisgeul," arsa Sìne, "ach tha sinn gus ar tolladh leis an acras."

"Cha robh grèim againn ri ithe," arsa Cairistìona, "o chionn trì latha."

Leig am boireannach osna agus dh'fhosgail i an doras.

"Thigibh a-steach, ma-thà," ars ise, "agus gabhaibh rud ri ithe. Ach an uair sin feumaidh sibh falbh. 'S e fuamhaire a th' anns an duine agam agus dh'itheadh e triùir nighean òga mar a tha sibhse nam faigheadh e grèim oirbh."

Chaidh iad a-steach agus shuidh iad aig a' bhòrd agus thug bean an fhuamhaire dhaibh bobhla brot agus pìos arain an urra. Dh'inns i dhaibh gun do ghoid am fuamhaire i bho thaigh a h-athar airson coimhead às dèidh a thriùir nighean. Bha iadsan a-muigh còmhla rin athair.

Às dèidh dhaibh ithe, dh'èirich Moilidh na seasamh agus thuirt i ri peathraichean gun robh thìde aca falbh mus tilleadh am fuamhaire.

"Ò, ach tha mi cho sgìth," thuirt Sìne.

"Agus tha an taigh seo cho blàth," thuirt Cairistìona.

"Còig mionaidean eile," arsa Sìne.

"Chan fhaigh na còig mionaidean," arsa bean an fhuamhaire. "'S fheàrr dhuibh falbh an-dràsta fhèin."

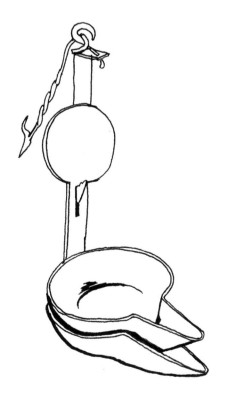

"Thugnaibh," arsa Moilidh. Ach ge brith dè chanadh i fhèin no bean an fhuamhaire, chan èisteadh Sìne no Cairistìona.

"Obh, obh," arsa bean an fhuamhaire an uair sin. "Tha sibh ro anmoch a-nis. Tha an duine agam a' tighinn. Tha mi ga chluinntinn."

Chuala iad na ceumannan mòra, uabhasach a' tighinn suas an staran.

Nuair a dh'fhosgail an doras, thàinig an duine bu mhotha agus bu ghràinde a chunnaic iad a-riamh a-steach le fiadh marbh na làmhan. Air a chùlaibh bha triùir nighean. Bha iadsan fiù 's na bu ghràinde na an athair. Bha eala mharbh aig gach tè aca na làmhan agus bha na h-aparain aca làn fala. Nuair a chunnaic iad uile Moilidh 's a peathraichean, stad iad cho luath 's nach mòr nach do sheas iad air a chèile.

"Dè a-nis a tha seo?" dh'fhaighnich am fuamhaire.

"Clann-nighean bhochda, acrach," fhreagair a bhean. "Tha iad dìreach a' falbh. Cha tug mi dhaibh biadh no sìon eile."

"Thug!" arsa Sìne. "Thug sibh ..."

Bhris Moilidh a-steach oirre. "Cha tug!" ars ise. "Tha sin ceart. Agus mar sin togaidh sinn oirnn a dh'àite eile anns a' bhad. Latha math dhuibh uile." Shlaod i Sìne agus Cairistìona chun an dorais.

"Tha mi duilich," thuirt am fuamhaire, "gun robh a' bhean agam cho mì-fhialaidh. Ach cuiridh sinn sin ceart. Seall na thug sinn dhachaigh de bhiadh. Nach fhuirich sibh, a chlann-nighean, airson grèim a ghabhail còmhla rinn?"

Chunnaic Moilidh an uair sin tè dhe na h-ìghnean a' priobadh ri peathraichean. Chaidh gaoir troimpe, ach cha robh roghainn eile aca ach fuireach.

Rinn bean an fhuamhaire dinnear mhath dhaibh uile agus ghabh iad i aig a' bhòrd mhòr. Às dèidh dhaibh uile ithe, thuirt am fuamhaire gun toireadh e cuid oidhche do Mhoilidh agus a peathraichean.

"Bheir mi dhuibh preusant cuideachd," thuirt esan, agus thug e dhaibh sreang ghrìogagan an urra. "Cuiridh oirbh iad, a chlann-nighean."

'S e grìogagan brèagha a bh' annta agus bha Sìne agus Cairistìona air an dòigh leotha. Thug Moilidh an àire, ge-tà, gun do phriob tè de nighnean an fhuamhaire ri peathraichean a-rithist nuair a chuir iad orra iad.

'Saoil,' dh'fhaighnich Moilidh dhi fhèin, 'dè tha fa-near dhaibh?'

Nuair a chaidh iad a laighe an oidhche sin, chaidil Moilidh, Sìne is Cairistìona anns an aon leabaidh ri nigheanan an fhuamhaire. Dh'fhuirich Moilidh gus an robh a' chlann-nighean eile uile nan cadal agus thug i na grìogagan aig Sìne is Cairistìona agus aice fhèin dhiubh agus chuir i air nigheanan an fhuamhaire iad. An uair sin dhùin i a sùilean agus chuir i an ìre gun robh i na cadal.

Mar sin, bha Moilidh fhathast na dùisg nuair a dh'èalaidh am fuamhaire a-nall far an robh iad le maide agus a thòisich e a' sporghail san leabaidh gus an lorgadh e a' chlann-nighean air an robh na grìogagan. Gach turas a lorgadh e grìogagan mu amhaich, bhuaileadh e an nighean sin air a ceann leis a' mhaide. Nuair a bha e air na trì sreangan ghrìogagan a lorg agus na trì cinn a bhualadh, chaidh e air ais don leabaidh.

Bha Moilidh bhochd air chrith le eagal agus uabhas ach dh'fhuirich i gus an cluinneadh i srann an fhuamhaire a-rithist agus an uair sin dhùisg i Sìne is Cairistìona. Dh'inns i dhaibh ann an cagair mar a thachair agus, airson a' chiad uair riamh, dh'èist iad rithe agus rinn iad mar a dh'iarr i orra. Dh'èirich iad agus dh'èalaidh iad a-mach às an taigh air an corra-biod. Nuair a dhùin an doras às an dèidh, thug iad an casan leotha agus cha do stad iad gus an robh iad còrr is mìle air falbh. Chùm iad orra a' coiseachd fad na h-oidhche sin agus mun àm a ghlasaich an latha air fàire, chitheadh iad gun robh caisteal mòr, brèagha air fàire.

Ghnog iad air doras a' chaisteil agus chaidh an toirt a-steach. Dh'inns iad dha na searbhantan mar a thachair dhaibh. Thug na searbhantan iad far an robh an rìgh agus a' bhanrigh agus thug iad orra an sgeulachd innse dhaibhsan cuideachd.

"Uill, uill, a Mhoilidh Chalma," ars an rìgh. "Cha do rinn duine eile riamh a' chùis air an fhuamhaire sin, ach rinn thusa. Nighean òg. Uill, uill."

An uair sin dh'inns a' bhanrigh dhaibh gun robh am fuamhaire air tòrr rudan prìseil a ghoid às a' chaisteal tro na bliadhnaichean.

"Saoil," ars ise, "an rachadh tusa air ais a dh'iarraidh nan rudan sin dhomh, a Mhoilidh? Bhithinn glè thaingeil. Dè nam pòsadh mo mhac, Ailean, do phiuthar, Cairistìona, mar thaing dhut?" B' e Ailean mac bu shine na banrigh.

"Ù-ù-ù-ù-ù!" arsa Cairistìona. "Siuthad, a Mhoilidh! Can gun tèid thu air ais."

Dh'aontaich Moilidh gun rachadh i air ais – chan ann gus am faigheadh Cairistìona air prionnsa a phòsadh ach on a bha a' bhanrigh a' coimhead cho brònach nuair a dh'inns i dhaibh mar a ghoid am fuamhaire cìr òir a màthar oirre.

"'S e cìr sheunta a th' innte," dh'inns Dòmhnall, mac a b' òige na banrigh, do Mhoilidh. "Nì i falt an duine a chleachdas i cho làidir ri ròpa. Gabhaidh duine a cheangal le aona ghaisean fuilt. 'S ann mar sin a bhios am fuamhaire a' ceangal nam beathaichean a ghoideas e."

An oidhche sin, nuair a dh'fhàs i dorcha, dh'fhàg Moilidh an caisteal agus chaidh i air ais do thaigh an fhuamhaire. Chuala i srannan an fhuamhaire agus a mhnà agus mar sin chaidh i a-steach agus lorg i a' chìr air dreasair faisg air an leabaidh. Thionndaidh i airson falbh ach fhad 's a bha i a' dol a-mach, 's ann a bhreab i stòl agus a rinn i fuaim. Dhùisg am fuamhaire anns a' bhad agus thàinig e na dheann às a dèidh. Theich Moilidh aig peilear a beatha gus an do ràinig i abhainn pìos on taigh. Chluinneadh i am fuamhaire beagan air a cùlaibh agus e a' sìor thighinn na b' fhaisge.

An toiseach cha robh fhios aig Moilidh dè dhèanadh i ach an uair sin chuimhnich i air an rud a thuirt Dòmhnall rithe. Chìr i a falt fhèin leis a' chìr òir agus dh'fhàs e cho làidir ri ròpa. Spìon i gaisean agus chaith i tarsainn air an abhainn e mar dhrochaid. Sheas i air a' ghaisean agus fhuair i gu taobh eile na h-aibhne aig an dearbh mhionaid 's a ràinig am fuamhaire an taobh thall. Dh'fheuch esan ri seasamh air a' ghaisean cuideachd ach bha a chasan ro mhòr.

"Mo mhallachd ort, a Mhoilidh Chalma," ars am fuamhaire. "Ghoid thu a' chìr agam!"

"Ghoid," arsa Moilidh, "ach cha b' ann leatsa a bha i."

"Na till an taobh seo," ars am fuamhaire, "mus fhaigh mise grèim ort!"

Dh'fhalbh Moilidh air ais chun a' chaisteil agus thug i a' chìr don bhanrigh. Bha a' bhanrigh air leth toilichte agus thòisich i anns a' bhad a' cur rudan air dòigh gus am pòsadh Ailean agus Cairistìona.

An oidhche ron bhanais, thàinig Sìne far an robh Moilidh.

"Tha fhios a'm, a Mhoilidh," ars ise, "nach robh mi uabhasach laghach riut roimhe, agus tha mi duilich airson sin, oir 's e piuthar ghaolach a th' annad."

"Tha sin ceart gu leòr," arsa Moilidh. "Saoil," ars ise rithe fhèin, "dè tha i seo ag iarraidh?"

"'S e an rud," arsa Sìne, 's i a' dearbhadh gun robh amharas Moilidh ceart, "gu bheil mi fhìn agus Raghnall air tuiteam ann an gaol." B' e Raghnall am bràthair eadar Ailean agus Dòmhnall.

"Mealaibh ur naidheachd," arsa Moilidh.

"Tha an rìgh ag ràdh," arsa Sìne, "gum faod sinn pòsadh mas e agus gun toir sinn air ais an lampa airgid a ghoid am fuamhaire air an rìgh o chionn fhada. Thusa, tha mi a' ciallachadh. Ma bheir thusa air ais i."

"Seadh," arsa Moilidh. Leig i osna. "Ceart gu leòr, a Shìne. Chì sinn dè ghabhas dèanamh."

"'S e lampa sheunta a th' innte," dh'inns Dòmhnall do Mhoilidh. "Nì i solas don duine a thogas i, ach cha dèan do dhuine eile. 'S ann mar sin a bhios am fuamhaire a' goid bheathaichean san dorchadas."

An oidhche sin, nuair a dh'fhàs i dorcha, dh'fhàg Moilidh an caisteal agus chaidh i air ais do thaigh an fhuamhaire a-rithist. Nuair a chuala i gun robh srannan aig an fhuamhaire agus a bhean, chaidh i a-steach agus lorg i an lampa air an dreasair. Thionndaidh i airson falbh ach fhad 's a bha i a' dol a-mach, 's ann a dhùisg cù an fhuamhaire agus thòisich e a' comhartaich. Dhùisg am fuamhaire anns a' bhad agus thàinig e na dheann às a dèidh. Theich Moilidh aig peilear a beatha gus an do ràinig i an abhainn a-rithist. Le solas na lampa chaidh aice air an gaisean a lorg a-rithist agus air a dhol tarsainn.

Chan fhaiceadh am fuamhaire sìon oir cha robh an lampa a' dèanamh solas dhàsan.

"Mo mhallachd ort, a Mhoilidh Chalma," ars esan. "Ghoid thu an lampa agam!"

"Ghoid," arsa Moilidh, "ach cha b' ann leatsa a bha i."

"Na till an taobh seo," ars am fuamhaire, "mus fhaigh mise grèim ort!"

Chaidh Moilidh air ais chun a' chaisteil agus bha an rìgh glan air a dhòigh nuair a chunnaic e an lampa. Chaidh banais Cairistìona is Raghnaill agus banais Sìne is Ailein a chumail an latha sin fhèin. Aig deireadh na h-oidhche thàinig an rìgh agus a' bhanrigh far an robh Moilidh.

"Tha sinn fada nad chomain, a Mhoilidh," ars iadsan. "Agus tha sinn air fàs gu math measail ort. Tha agus Dòmhnall. Bu mhath leis do phòsadh."

"Ò," arsa Moilidh. Dh'fhàs a busan dearg. "Chòrdadh sin rium."

"'S e an aon rud," ars an rìgh, "gu bheil Dòmhnall fo gheasaibh. Chan fhaod e pòsadh ach le fàinne òir a ghoid ..."

"Na inns dhomh," arsa Moilidh. "Am fuamhaire?" Leig i osna. "Uill, chì sinn dè ghabhas dèanamh."

"'S e fàinne sheunta a th' innte," dh'inns Dòmhnall do Mhoilidh. "Chan fhaod ach tè chalma le cridhe glan a cosg. Tha cridhe glan agadsa, a Mhoilidh. Agus cha do thachair mi riamh ri tè cho calma."

Dh'fhàs busan Moilidh na bu deirge buileach.

An-ath-oidhche, nuair a dh'fhàs i dorcha, dh'fhàg Moilidh an caisteal agus chaidh i air ais do thaigh an fhuamhaire aon uair eile. Cha chuala i srannan no fuaim sam bith agus shaoil i nach robh am fuamhaire no a bhean a-staigh. Chaidh i a-steach agus lorg i an fhàinne air an dreasair. Thionndaidh i airson falbh ach bha am fuamhaire a' feitheamh air cùl an dorais agus leum e air Moilidh agus chuir e ann am poca i.

"Seadh, a Mhoilidh Chalma," ars esan, "tha thu agam a-nis." Dh'èigh e an uair sin air a bhean. "A Mhòrag? A Mhòrag? Dè nì mi air a' pheasan bheag seo?"

"Chan eil fhios a'm," thuirt a bhean. Bha ise a' rànaich.

"Innsidh mise dhut," arsa Moilidh, "dè dhèanainn fhèin nam bithinn nad àite. Chrochainn am poca seo air a' bhalla agus rachainn a-mach a dh'iarraidh slat bho chridhe na coille. Thillinn leis an t-slait agus bhuailinn am poca gus am biodh Moilidh Chalma marbh."

"Deagh bheachd!" ars am fuamhaire. Chroch e am poca air a' bhalla agus thog e air a-mach às an taigh a dh'iarraidh slat.

"Greas ort!" thuirt Moilidh ri bean an fhuamhaire. "Sguir a rànaich!

Leig às mi mus till am fuamhaire agus teichidh sinn còmhla."

Thug bean an fhuamhaire Moilidh às a' phoca. Lìon iad e le mòine agus chroch iad air a' bhalla e a-rithist. Ruith iad a-mach às an taigh chun na h-aibhne agus chaidh iad tarsainn. An uair sin gheàrr Moilidh an gaisean agus thuit e don uisge.

Nuair a ràinig am fuamhaire an taigh a-rithist leis an t-slait, thòisich e a' bualadh a' phoca agus ag èigheachd, "Gabh sin!" agus "Bheir mise ort!" agus "Seallaidh mise dhut, a Mhoilidh Chalma!" Mun àm a thàinig e a-staigh air nach robh am poca a' dèanamh fuaim sam bith agus a thug e a-nuas e, bha Moilidh agus a bhean air ais aig a' chaisteal.

Phòs Moilidh is Dòmhnall agus bha iad sona còmhla airson a' chòrr dhem beatha.

Thug an rìgh obair do bhean an fhuamhaire mar chòcaire.

Thàinig màthair Moilidh a choimhead às dèidh na cloinne.

Bha Cairistìona agus Sìne a cheart cho leisg agus cho crosta agus cho faoin 's a bha iad riamh.

Pàtran na Craoibh-sheilich

Sgeulachd à Sìona

O chionn fhada an t-saoghail bha taigh mòr ri taobh craobh-sheilich san robh fear a' fuireach aig an robh nighean àlainn. Bha am fear seo na bu bheairtiche na duine eile san sgìre, ach bha e cuideachd na bu chruaidhe. Bha duine òg ag obair mar rùnaire aige, a' sgrìobhadh litrichean is rudan dhen t-seòrsa sin dha na làmh-sgrìobhaidh àlainn, grinn. Gun fhiosta don duine bheairteach, b' e an rùnaire seo leannan na h-ìghne, agus cha robh iarraidh aicese air an t-saoghal ach an rùnaire a phòsadh.

Nuair a fhuair an duine beairteach a-mach mun cheangal seo eadar an rùnaire agus a nighean, cha robh e idir air a dhòigh. Bha e ga mheas fhèin am measg nan uaislean agus an rùnaire am measg nan ìslean agus cha robh e idir, idir dhen bheachd gun robh e iomchaidh ceangal mar sin a bhith eatarra. Bha esan airson a nighean a phòsadh ri duine beairteach eile a bha a' fuireach anns an ath sgìre.

Chuir an duine beairteach roimhe balla mòr a thogail a chumadh an rùnaire bhon nighinn, agus an nighean on rùnaire. Bha ise a' fuireach air cùl a' bhalla agus esan air an taobh a-muigh agus airson ùine cha robh dòigh aca air càch a chèile fhaicinn. Bha iad le chèile glè bhrònach.

Aon latha bha nighean an fhir bheairtich a' coiseachd leatha fhèin ann an gàrradh an taighe nuair a chunnaic i slige annasach a' fleòdradh ann an sruthan beag a bh' aca. Thog i an t-slige agus chunnaic i gun robh pìos pàipeir agus parsail beag na broinn. Thug i às am pàipear agus chunnaic i gun robh dàn gràidh sgrìobhte air ann an litrichean àlainn dubha. Anns a' pharsail bha grìogag àlainn – comharra on rùnaire air a' ghaol a bh' aige oirre fhathast.

Chaidh an uair sin aig an nighinn agus aig an rùnaire air bruidhinn ri chèile le bhith a' cur litrichean air ais 's air adhart ann an uisge an t-sruthain. Dh'inns ise dha gun robh a h-athair an dùil a pòsadh ris an fhear bheairteach eile agus rinn esan suas inntinn gun robh an t-àm ann teicheadh còmhla.

Nuair a thàinig an duine beairteach eile chun an taighe a thoirt gealladh-pòsaidh don nighinn, fhuair iad nach robh sgeul oirre san taigh. Bha an rùnaire air tighinn le bàta-siùil agus bha iad air togail orra. Cha robh fhios aig duine càit an robh iad.

Chaidh na bliadhnaichean seachad agus bha an nighean agus an rùnaire sona is sàbhailte còmhla san dachaigh ùir aca air eilean fada san ear. Bhiodh an rùnaire a' sgrìobhadh nam faclan aige fhèin a-nis – bàrdachd is sgeulachdan is òrain. Bha na h-ìomhaighean aige cho brèagha agus an sgrìobhadh cho àlainn 's gun do dh'fhàs a chliù air feadh na tìre. Mu dheireadh thall, chuala an duine beairteach na dhachaigh fad às mun bhàrd seo a bhiodh a' dealbh litrichean na bu bhòidhche na duine eile air an talamh agus thòisich e a' gabhail ìongnadh an e an rùnaire òg a bh' ann.

Cha robh an duine beairteach a-riamh air sgur a choimhead airson an rùnaire agus airson na h-ìghne. Bha e air siubhal air feadh na tìre an tòir orra agus a-nis thàinig e na dheann don eilean. Fhuair e an rùnaire an toiseach. Thug e an claidheamh aige às a chrios agus chuir e timcheall trì uairean e os a chionn. Rinn an claidheamh fuaim mar a' ghaoth agus ged a dh'fheuch an rùnaire ri teicheadh, mharbh an duine beairteach e.

Chaidh an duine beairteach an uair sin chun an taighe. Bha a chridhe fhathast cho cruaidh 's a bha e riamh agus cha do ghabh e truas sam bith ris an nighinn. Ghlas e na dorsan agus chuir e teine ris a' mhullach. Chaidh an taigh a losgadh gu làr agus an nighean na bhroinn.

Cha robh a h-uile cridhe cho cruaidh ge-tà. Nuair a chunnaic diathan nan speuran mar a thachair don rùnaire is don nighinn agus cho mòr 's a bha an gaol aca dha chèile, thàinig deòir bhon sùilean. Thog na diathan an spioradan gu h-àrd agus rinn iad dà chalman bàn dhiubh, gus am biodh iad còmhla gu bràth anns na neòil.

Nuair a chuala muinntir na tìre an sgeul, dh'iarr iad air an luchd-ealain aca taigh na craoibh-sheilich, am balla, am bàta 's an t-eilean a pheantadh air na truinnsearan a bu phrìseile aca.

Bidh muinntir Shìona a' peantadh nan rudan sin air truinnsearan chun an latha an-diugh, mar chuimhneachan air an nighinn 's air an rùnaire. Bidh iad a' cleachdadh peant liath air crèadh gheal.

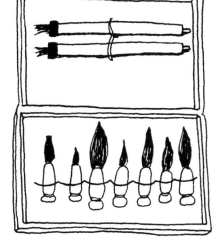

Am faca tusa riamh gin dhiubh?

Babushka

Sgeulachd às an Ruis

’S e boireannach trang a bh’ ann am Babushka. Bhon uair a
dh’èireadh i sa mhadainn gus an rachadh i a laighe air an oidhche
bhiodh i a’ glanadh agus a’ sgioblachadh, a’ fighe ’s a’ fuaigheal,
a’ nighe ’s ag iarnaigeadh ’s a’ dèanamh a’ bhìdh. Bha i cho trang agus
nach robh ùine aice èisteachd ris a’ ghille a thàinig chun an dorais a
dh’innse dhi mun rionnaig ùir a bh’ air nochdadh anns na speuran
os cionn a’ bhaile.

“Thigibh a-mach,” arsa an gille, “a dh’fhaicinn cho soilleir ’s a tha i.”

“Rionnag!” arsa Babushka. “Chan eil ùine agamsa a thighinn a
choimhead air rionnag, sean no ùr. Am bruich rionnag an t-aran? An
sguab i an làr? Rionnag? Tud!”

Mar sin, cha robh Babushka còmhla ri càch nuair a chunnaic iad
na solais air an rathad, no nuair a chuala iad na drumaichean is na
pìoban, no nuair a thàinig na coigrich tro gheata a’ bhaile air na
beathaichean mòra, neònach aca a bha na bu mhotha na eich le
cnapan mòra air an dromannan. Cha robh for aice gun robh sìon às
an àbhaist gus an cuala i gnogadh aig an doras. Nuair a dh’fhosgail
i e, chunnaic i triùir fhireannach nan seasamh air an staran. Bha an
aghaidhean dorcha agus a’ chainnt aca coimheach.

"Tha sinn a' sireadh cuid-oidhche sa bhaile seo," thuirt am fear a b' àirde dhiubh. "Tha a h-uile duine ag ràdh gur ann agaibhse a tha an taigh às àille agus am biadh as fheàrr anns an sgìre."

Bha Babushka uabhasach toilichte nuair a chuala i sin, oir bha i pròiseil às an taigh aice, a bha daonnan cho glan, agus às a' bhiadh aice, a bha daonnan cho blasta.

"Bidh mi a' dèanamh mo dhìchill," ars ise, agus an uair sin thug i a-staigh iad agus lìon i bobhlaichean mòra le brot biotais agus rinn i deochannan teatha dhaibh, oir bha i a' cur an t-sneachda a-muigh. Agus an uair sin dh'fhàs i diùid, oir thug iad dhiubh an cleòcaichean agus chunnaic i gur e rìghrean a bh' annta, air an èideadh ann an sìoda is sròl, le adan neònach agus seudradh òir. Agus nuair a choimhead Babushka air an taigh aice fhèin, shaoil i gur e àite bochd a bh' ann an taca ri beairteas nan coigreach.

"Na biodh nàire oirbh, a bhean uasal," thuirt am fear a b' àirde rithe – 's e Melchior an t-ainm a bh' air. "Chan eil lùchairt air an talamh a tha nas glaine na an taigh seo, no fàilte cho furanach ri faotainn."

"'S ann gu àite bochd a tha sinne a' dol," thuirt am fear a bu lugha, Caspar, "a dh'fhaicinn rìgh, air ùr bhreith ann an stàball."

"Rìgh na Talmhainn agus nan Speuran," thuirt an treas fear, Balthasar. "Tha an rionnag ùr gar treòrachadh thuige."

"Thigibh còmhla rinn," thuirt Melchior le gàire. "Chuireadh iad fàilte air boireannach fialaidh, còir anns an àite sin."

"Ò, cha b' urrainn dhomh," arsa Babushka. "Tha cus ri dhèanamh

an seo. Agus chan eil sìon agam a bheirinn leam mar thiodhlac dhan rìgh. Tha fhios gu bheil tiodhlacan agaibhse dha."

"Tha," arsa Caspar. "Òr is spìosraidh is cùbhrachd."

"Tha preas agam a tha làn dhèideagan," thuirt Babushka. "'S ann lem mhac a bha iad. Chaochail e nuair a bha e òg. Ach tha iad sean a-nis."

Dh'fhuirich na rìghrean an oidhche sin ann an taigh Babushka. Fad an ath latha bha Babushka trang a' bruich aran dhaibh airson an turais agus a' teasachadh uisge airson an t-amar a lìonadh uair is uair. Nuair a thàinig an oidhche agus a nochd an rionnag anns na speuran a-rithist, shreap na rìghrean suas air na càmhail aca agus thionndaidh iad ri Babushka.

"A bheil sibh deiseil, Babushka?" dh'fhaighnich Melchior.

"Ò... uill... chan eil fhios a'm," arsa Babushka. Bha i ag iarraidh a dhol còmhla riutha, ach bha an taigh a-nis cho mì-rianail agus cha robh mionaid air a bhith aice coimhead dhan phreas feuch an robh gin dhe na dèideagan spaideil gu leòr airson a thoirt do rìgh.

"Falbhadh sibhse an-dràsta," arsa Babushka mu dheireadh thall. "Cuiridh mise cùisean air dòigh an seo agus an uair sin leanaidh mi sibh air an t-seann aiseal agam."

Le gàire car brònach, thug Melchior taing do Bhabushka agus dh'fhalbh na rìghrean air ais tron gheata gu ruige an rathaid mhòir. Dh'fhuirich Babushka gus nach fhaiceadh i na solais tuilleadh agus an uair sin thog i oirre air ais don taigh. Bha e cho sàmhach is cho dorcha às aonais nan rìghrean. Dh'fhosgail i am preas agus thug i a-mach na dèideagan. Bha iad làn dust. Fhuair i clobhd agus thòisich i gan glanadh. Nuair a bha i deiseil, bha gleans às a h-uile gin dhiubh.

"Tha iad math gu leòr, tha mi a' creidsinn," thuirt i rithe fhèin. "Tha fhios gun tuigeadh rìgh a rugadh ann an stàball nach eil an còrr aig seann bhean bhochd ri thoirt dha."

Gu h-obann, bha Babushka coma ged a bhiodh an taigh air fhàgail mar a bha e. Fhuair i poca agus lìon i le biadh e agus an uair sin chuir i ann na dèideagan. Chuir i oirre bòtannan agus còta agus chuir i seàla mu ceann. Dhùisg i an t-seann aiseal agus thog i oirre don oidhche air a muin.

Thathar ag ràdh nach do lorg Babushka riamh na rìghrean, agus nach fhaca i riamh an rìgh ùr. Nuair a ràinig i am baile san do rugadh e, bha e fhèin is a phàrantan air falbh mar-thà. Ach is e boireannach dìleas a th' ann am Babushka agus tha i fhèin agus an t-seann aiseal fhathast a' siubhal an t-saoghail mhòir an tòir air a caraidean. Anns a' gheamhradh, nuair a bhios i a' cur an t-sneachda, bidh i a' stad aig a h-uile taigh sa bheil clann. Bidh i a' fàgail tè dhe na dèideagan aca, mar chuimhneachan air Melchior, Caspar is Balthasar, air a mac fhèin agus air an rìgh a rugadh san stàball.

Quetzalcoatl

Sgeulachd à Ameireaga a Deas

O chionn fhada an t-saoghail bha rìgh mòr, cumhachdach a' riaghladh cuid mhòr de cheann a deas Ameireaga. 'S e Nathair an t-Sneachda an t-ainm a bh' air. Bha e cho glic is cho cothromach is gun dèanadh muinntir na tìre rud sam bith a dh'iarradh e orra. Bha e cho calma is cho dàna is gun leanadh na saighdearan aige e gu fìor iomall an t-saoghail. Am measg nan rudan iomraiteach a rinn e, shaor e an t-eun seunta Quetzalcoatl nuair a chaidh a chur fo gheasan le bana-bhuidseach olc.

Bha Quetzalcoatl na bu bhòidhche na eun sam bith eile air an talamh. Bha a chom cho uaine ris na smàragan. Bha a sgiathan cho dearg ri fuil. Bha a shùilean liath mar na speuran agus bha a ghob agus a spuirean mar an t-òr. Bha e cho bòidheach 's gun do ghabh muinntir na tìre ris mar dhia. Chòrd seo ri Quetzalcoatl cho math 's gun tuirt e gun toireadh e cuideachadh dhaibh uair sam bith a bhiodh feum aca air.

'S e latha dubh a bh' anns an latha a fhuair Nathair an t-Sneachda bàs. Bha dithis mhac aige agus roinn e an dùthaich eatarra, oir bha e a cheart cho cothromach na sheann aois 's a bha e na òige. Bha Cintoetl, a fhuair an ceann a deas, dìreach coltach ris. Bha gaol mòr aig muinntir na tìre air.

Cha robh gaol aig muinntir na tìre idir air Tollan, a bha a' riaghladh sa cheann a tuath. Cha robh diù aig Tollan de rud sam bith ach moladh is brosgal. Ge brith cò bu mhotha a mholadh e, leigeadh e leis an duine sin an tìr a riaghladh. Bhiodh na daoine sin a' gabhail brath air muinntir na dùthcha, oir cha robh diù aca fhèin de rud sam bith ach òr is airgead. Chunnaic Quetzalcoatl cho bochd, brònach 's a bha na daoine a' fàs agus rinn e a dhìcheall an cuideachadh.

Nuair a thuig Tollan gun robh Quetzalcoatl a' cuideachadh muinntir na tìre agus gun robh gaol na bu mhotha aca air na bha roimhe, bha eud uabhasach air. Dh'iarr e air Quetzalcoatl a thighinn ga fhaicinn san lùchairt. Nuair a thàinig Quetzalcoatl a-steach, dè thachair ach gun do rug Tollan air is gun do chuir e ann an cèidse e.

"Seall, Quetzalcoatl," thuirt Tollan. "Tha na daoine a' togail theampallan mar urram dhut oir tha iad a' smaoineachadh gur e dia a th' annad. Ach seall ort a-nis, air do ghlasadh ann an cèidse ri taobh na cathrach agamsa. Chan eil thu air chomas duine sam bith a chuideachadh a-nis. Leagaidh sinn na teampallan agus togaidh sinn feadhainn ùra mar urram dhòmhsa, oir tha mise nas cumhachdaiche na thusa."

Nuair a chuala Cintoetl mar a thachair do Quetzalcoatl, chuir e fios gu a bhràthair gun tigeadh e fhèin gu tuath air ceann airm a shaoradh a charaid. Mar fhreagairt, spìon Tollan ite à earball Quetzalcoatl, thug e air neach-ealain aghaidh fhèin a pheantadh oirre agus chuir e gu Cintoetl i.

"Tha an duine a spìon an ite nas cumhachdaiche na an t-eun bhon tàinig i," thuirt Tollan.

Nuair a chunnaic Cintoetl an ite, bha e cho fiadhaich 's gun do chuir e fios air an arm aige sa bhad. Nuair a chuala iad mar a thachair do Quetzalcoatl agus mun an ite a spìon Tollan, dh'iarr na saighdearan cead aghaidh Quetzalcoatl a chur air na casagan aca. An uair sin chaidh iad gu tuath.

Nuair a sheas an dà arm mu choinneamh a chèile air a' bhlàr, 's gann

gun gabhadh an rud a chunnaic arm Cintoetl a chreidsinn. San dearbh
àite san robh aghaidh Quetzalcoatl air na casagan aca fhèin, bha
dealbh de Tollan air casagan nan saighdearan eile. Bha Quetzalcoatl
fhèin aig Tollan air sèine air a ghàirdean. Chan fhaca duine aca riamh
dìmeas no tàmailt cho mòr. Ach bha na bu mhiosa ri thighinn.

Nuair a thòisich an cath, dh'iarr Tollan air na saighdearan aige na
saighdean aca a bhogadh ann am bìth agus teine a chur riutha. Nuair a
loisg iad air arm Cintoetl leis na saighdean seo, chaidh na saighdearan
a losgadh gu dona.

Cha do mhair an cath fada; b' ann le Tollan agus na cleasan
uabhasach aige a chaidh an latha. Bha an dàrna leth de dh'arm Cintoetl
air am marbhadh. Bha Cintoetl fhèin gun mhothachadh air a' bhlàr,
's e air a losgadh gu dona. 'S gann gun do dh'aithnich iad e nuair a
lorg iad e. Thug Tollan air na saighdearan aige Cintoetl a thoirt air ais
don lùchairt agus a chur ann an cèidse air taobh eile na cathrach bho
Quetzalcoatl.

"Chì a h-uile duine aghaidh ghrànda dhubh," thuirt
Tollan le gàire. "Ach chan fhaic esan sìon, oir tha e dall
a-nis."

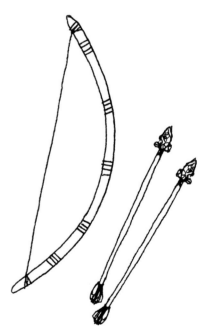

Aon oidhche thàinig nighean òg, Cochotan, far an
robh Tollan.

"Saoil, a rìgh," ars ise, "an leig sibh leam
Cintoetl a leigheas?"

"A leigheas?" dh'fhaighnich Tollan.
"Carson a dhèanadh tu sin? Tha mi a' dol ga chur
gu bàs."

"Nach biodh e na b' fheàrr," thuirt Cochotan, "a leigheas an toiseach? An uair sin chitheadh daoine cho cumhachdach 's a tha sibh. Oir bidh rìghrean mòra, cumhachdach a' dèanamh tròcair air daoine bochda, tinn."

"Ceart gu leòr, ma-thà," thuirt Tollan. "Ach an uair sin cuiridh mi gu bàs e."

Thàinig Cochotan a h-uile latha far an robh Cintoetl le ola is searbhadairean is brèidean. Beag air bheag chaidh a leigheas agus chitheadh Cochotan aghaidh àlainn aon uair eile. Dh'fhosgail a shùilean mòra, dorcha agus thill a fhradharc thuige.

"Carson, Cochotan," dh'fhaighnich Cintoetl aon oidhche, "a bhios tu a' dèanamh a h-uile sìon a tha seo dhomh? 'S e nàimhdean a th' annainn."

Cha do fhreagair Cochotan e, oir 's e an fhìrinn gun robh i air tuiteam ann an gaol leis. Agus mu dheireadh, mun àm a bha Cintoetl slàn aon uair eile, bha esan air tuiteam ann an gaol ri Cochotan cuideachd. Ach bha fhios aca nach biodh fada gus an cuireadh Tollan Cintoetl gu bàs.

"Inns dhomh dè nì mi," arsa Cochotan. "Nì mi rud sam bith. Chan eil e gu diofar ged a ghlacadh e mi. An uair sin bhiomaid còmhla ri chèile anns an ath bheatha."

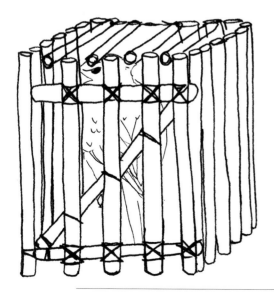

Mar sin chuir Cochotan is Cintoetl seachad na h-oidhcheannan a bh' air am fàgail aca a' planadh is a' meòrachadh. An uair sin chaidh Cochotan far an robh Tollan.

"Tha ur bràthair slàn a-rithist, a rìgh," ars ise, "ma tha sibh airson a chur gu bàs."

Bha Tollan air a dhòigh glan agus dh'fhaighnich e dè am pàigheadh a bha Cochotan ag iarraidh airson a bhràthair a leigheas.

"Tha aon rud ann," arsa Cochotan. "Saoil am faod mi Quetzalcoatl a thoirt leam nuair a chuireas sibh Cintoetl gu bàs? 'S e a chòrdadh rium."

"Faodaidh gu dearbh," thuirt Tollan. "Deagh bheachd."

An-ath-latha, thug iad Cinteotl a-mach agus cheangail iad e ri craobh àrd mu choinneamh loidhne de bhoghadairean. Bha Tollan air an cùlaibh air each mòr dubh. Bha Cochotan ri thaobh air each geal. Bha Quetzalcoatl aice air a gàirdean.

"Èigh a-mach àireamh, Cinteotl," arsa Tollan. "Tha dusan bhoghadairean ann. Chan eil an t-òrdugh ach aig aon duine dhiubh do mharbhadh. Leanaidh sinn oirnn gus an èigh thu an àireamh aig an duine sin. Abair spòrs."

"Seachd!" dh'èigh Cinteotl anns a' bhad. Chaidh saighead seachad air don choille.

Rinn Tollan gàire. "Àireamh eile!"

Mus b' urrainn do Cinteotl a fhreagairt, thug Cochotan an cochall far aodann Quetzalcoatl. Anns a' bhad spìon Quetzalcoatl às sùilean Tollan. Thuit Tollan gu talamh 's e ag èigheachd is a' sgreuchail. Bhris Cochotan sèine Quetzalcoatl agus rinn Quetzalcoatl air na boghadairean. Theich iadsan sa bhad.

An-ath-latha, choinnich arm Cinteotl agus arm Tollan a-rithist. Às aonais Tollan, cha do mhair an cath fad sam bith. B' ann le Cinteotl, Cochotan is Quetzalcoatl a chaidh an latha. Chaidh an ceann a deas agus an ceann a tuath aonachadh aon uair eile mar a bha iad nuair a bha Nathair an t-Sneachda beò. Phòs Cinteotl agus Cochotan agus chaidh Quetzalcoatl air ais gu lùchairt fhèin anns na beanntan.

Bha sìth san tìr aon uair eile.

Beag-fhaclair

sùim	ùidh no meas; bidh meas againn air rud ma tha sùim againn dha
seòid	laoich no gaisgich, daoine dha bheil sùim againn
fan	fuirich; **dh'fhanadh** – dh'fhuiricheadh

oillsgin	deise dhìonach mar a bhios air iasgair
cur is cathadh	...nuair a bhios sneachd a' tuiteam agus gaoth mhòr ann aig an aon àm
faochag	maorach beag air a bheil slige a tha ri fhaighinn air tràigh; **a' togail fhaochagan**
comas	...ma tha comas agad, 's urrainn dhut rud a dhèanamh; tha e **air chomas** dhut rud a dhèanamh; comas gluasaid.
eagal a' bhàis	eagal mòr, mòr
cruach	càrn mòr de dh'fheur no de mhòine
cliabh	seòrsa de bhasgaid mhòr anns am biodh iasg no mòine air a chur
cabar	pìos fiodha làidir a tha na phàirt de mhullach taighe
tughadh	connlach no cuilcean a tha air uachdar nan cabar ann am mullach taighe
bàthach	togalach airson crodh a chumail, **chun na bàthcha**
uimpe	...ma chanas cuideigin riut, "Cuir umad," tha iad airson gun cuir thu ort aodach; chuir a bhean uimpe an cleòca

134

Oisean às dèidh na Fèinne

sliochd	daoine a bhuineas don aon teaghlach ri daoine a bha ann romhpa
aighear is mireadh	
	nochdaidh aighear agus mireadh gu bheil daoine fìor thoilichte
marcaiche	cuideigin a' falbh air each
beannaich	iarr fàbhar Dhè airson duine; **a bheannachadh** Oisein
bothan	taigh beag no àite far am faigh thu fasgadh
soraidh	beannachd, dùrachd; leig i soraidh leis a' bhodach, no thuirt i "Beannachd leibh" ris.
a' cur air	...ma tha rudeigin a' cur air duine, tha e a' dèanamh dragh dha
comas	...ma tha comas agad, 's urrainn dhut rud a dhèanamh; **air chomas** do thoirt a dh'Èirinn

Labhraidh Loingseach

rìoghachd	dùthaich a tha air a riaghladh le rìgh no banrigh
dùn	caisteal
rùn dìomhair	rudeigin nach eil thu airson innse no shealltainn do dhaoine
clàrsair	cuideigin a chluicheas clàrsach
clàrsach	inneal-ciùil le teudan air an sìneadh thairis air frèam mòr
teud	sreang air innealan-ciùil

Ceamach na Luaithe Buidhe

luath	am pùdar a bhios air fhàgail an dèidh do rud a bhith air a losgadh

banntrach	boireannach a tha air an duine aice a chall
muime	leas-mhàthair no boireannach a thogas tu mura h-eil do mhàthair fhèin ann
fuath	gràin; faireachdainn làidir an aghaidh cuideigin no rudeigin
lìomh	gleans, deàlradh
siurdan	am fuaim a nì duilleagan a tha air seargadh nuair a shèideas a' ghaoth
snàithlean(an) òir	
	snàth air a dhèanamh le òr

Fionn MacCumhaill agus Fuamhaire Mòr na h-Alba 32

treud	còmhlan, mar as trice de bheathaichean; air ceann treud
nàmhaid	cuideigin a tha nad aghaidh; **nàimhdean**
bathais	an roinn dhed aghaidh eadar do shùilean agus d' fhalt; ann am meadhan am bathais
fuamhaire	famhair, duine mòr, mòr
bùirean	beuc, glaodhaich mhòr
Sruth na Maoile	
	a' mhuir eadar ear-thuath na h-Èireann agus iar-dheas na h-Alba
a' sgoltadh nan clachan le teas	
	fìor bhlàth
ceithir thimcheall air	
	gach taobh a choimheadadh e; na srathan ceithir thimcheall air
bannan	na rudan a chumas doras suas agus a leigeas leis gluasad; far nam bannan, chan eil an doras orra tuilleadh

---

Àireamh muinntir Fhinn is Dhubhain 42

aotromaich	dèan nas aotruime le bhith a' cur stuth a-mach; **aotromachadh**

cliathaich	taobh rud no duine; ma chuireas tu rud leis a' chliathaich air bàta, cuiridh tu e a-mach dhan mhuir
gèill	sguir a bhith a' sabaid còmhla no aontaich; cha robh iad airson **gèilleadh**

Bodach an t-Sìlein Eòrna 46

seòlta	carach
truas	...ma tha truas agad ri duine tha thu a' faireachdainn duilich air a shon; a' gabhail truas ris
teadhair	ròpa airson beathach a cheangal
for	canaidh sinn nach eil for aig cuideigin mura h-eil iad air mothachadh do rud; cha robh for aige

MacCodruim nan Ròn 52

sealg	rach às dèidh bheathaichean fiadhaich agus marbh iad
seiche	craiceann beathaich
crùisgean	lampa ola
closach	an corp marbh aig beathach
caoidh	bi a' sealltainn gu bheil thu brònach
caoin	bi a' gul, mar as trice le deòir nad shùilean
cuir crann	dèan roghainn le bhith a' tilgeil bonn airgid dhan adhar, no le bhith a' taghadh shràbh. Chuir iad crann
maighdeann ròin	
	boireannach a tha cuideachd na ròn
siubhail	coimhead airson rud; thòisich i **ga siubhal** (an t-seiche)
cabar	pìos fiodha làidir a tha na phàirt de mhullach taighe
fodar	biadh airson bheathaichean, glè thric feur
thig ort	bi agad ri rud a dhèanamh; **thàinig air an iasgair** a dhol, bha aig an iasgair ri dhol

dìleab   rud a gheibh thu bho chuideigin a bha beò romhad; sgil sònraichte 's dòcha, no airgead no stuth

---

Na Trì Lèintean Canaich   58

canach	cotan
muime	leas-mhàthair no boireannach a thogas tu mura h-eil do mhàthair fhèin ann
slacan	bata
fitheach	eun mòr, dubh
air an sgèith	ag itealaich
maide-buinn	am pìos fiodha air an cuir thu do chas a' dol tro dhoras
lachanaich	a' gàireachdainn gu mòr
gàgail	fuaim mar a nì cearc
cruinn-leum	leum a nì thu bho a bhith nad sheasamh; thug i cruinn-leum oirre
galghad	laochan; facal gràidh a chleachdas tu ri cuideigin; a ghalghad
geas	buaidh shònraichte a chuireas buidseach air cuideigin
canach an t-slèibhe	cotan a dh'fhàsas air mòintich
cluinneam e	tha mi airson a chluinntinn
duine-uasal	duine a bhuineas do theaghlach cudromach
dìollaid	suidheachan sònraichte airson a dhol air each
càrdadh is cìreadh is snìomh	trì ceumannan ann an obair fighe clò; càrdadh is cìreadh is snìomh a' chanaich
buidseachd	an droch obair a nì buidseach
marcaiche	cuideigin a' falbh air each
meal	faigh toileachas ann an rud; meal do lèine
saor	leig ma sgaoil, bris buaidh rud; saoradh

dealaich ri cuideigin
> fàg cuideigin far a bheil e; **dealaichidh sinn riutha**

Dubh a' Ghiuthais
70

craobhan-giuthais
> craobhan le duilleagan mar shnàthadan

fearann talamh

cungaidh stuth a nì cuideigin a tha tinn nas fheàrr

cagair bruidhinn le guth beag, gu dìomhair;

cagarsaich nì thu cagarsaich nuair a bhios tu a' cagar;
a' cagarsaich ri chèile

aig peilear am beatha
> ghluais iad gu luath, luath

achadh pìos fearainn airson bàrr fhàs no beathaichean
a chumail; achaidhean

onghail fuaim mòr còmhla ri troimh-a-chèile

birlinn seann sheòrsa bàta le mòran ràimh

Leth-cheannach Nighean a' Chait
84

duine-uasal duine a bhuineas do theaghlach cudromach

gèill sguir a bhith a' sabaid còmhla no aontaich; ghèill e

ridire saighdear aig an robh àrd-inbhe

bachlagan falt dualach

coidse carbad air a tharraing le eich

fèis Bhealltainn
> tachartas sònraichte air a' chiad latha den Chèitean

èibhleag mìr beag guail no connadh eile a tha air fhàgail ann an teine

slacan draoidheachd
> bata a chleachdas buidseach nuair a tha e ri geasan

coron crùn; coron làn dhaoimeanan

neamhnaid	clach phrìseil a gheibh sinn ann an cuid de mhaorach mar feusgain agus eisir; neamhnaidean ioma-dhathach
làir	each boireann; air muin na làire

Moilidh Chalma 98

duine-uasal	duine a bhuineas do theaghlach cudromach
òinseach	boireannach gòrach
bonnach	cèic nach eil ro mhilis
beul na h-oidhche	nuair a bha e a' tòiseachadh a' fàs dorcha
cagair	bruidhinn le guth beag , gu dìomhair;
cagarsaich	nì thu cagarsaich nuair a bhios tu a' cagar; a' cagarsaich ri chèile
a' trod 's a' gearan	ag argamaid agus a' faighinn coire
staran	cabhsair no slighe
priob	dùin aon shùil airson tiotan; a' priobadh
corra-biod	bàrr nan òrdagan; dh'èalaidh iad a-mach air an corra-biod
aig peilear a beatha	ghluais i gu luath, luath

Pàtran na Craoibh-sheilich 118

craobh-sheilich	craobh le geugan caola oirre a thèid an lùbadh gu furasta
gealladh-pòsaidh	gealladh gum pòs dithis
tog ort	falbh à àite; bha iad **air togail orra**, bha iad air falbh
cliù	moladh, deagh ainm

tòir	... ma tha thu an tòir air daoine, tha thu a' feuchainn ri an lorg; an tòir orra
deann	gluasad luath; thàinig e na dheann

Babushka 122

cuid-oidhche	àite-fuirich agus biadh airson na h-oidhche
pròiseil	toilichte leat fhèin no le cuideigin eile a rinn math
brot biotais	brot dèante le biotais, luibh le freumh cruinn dearg, air a bheil meas mòr san Ruis
sioda is sròl	dà sheòrsa de aodach mìn, sleamhainn
seud	clach phrìseil, àilleag; canaidh sinn **seudradh** ri rudan air an dèanamh le seudan
an taca ri	an coimeas ri; ma chuireas sinn dà rud ri taobh a chèile faodaidh sinn coimeas a dhèanamh eatarra; àite bochd an taca ri beairteas nan coigreach

Quetzalcoatl 128

geas	buaidh shònraichte a chuireas buidseach air cuideigin
com	bodhaig duine, gun a bhith a' gabhail a-steach ceann, casan agus gàirdeanan
smàrag	seud uaine
mol	can gu bheil cuideigin no rudeigin math; **moladh**
brosgal	moladh ro mhòr airson faighinn a-steach air cuideigin
cath	sabaid eadar buidhnean shaighdearan
brèid	pìos aodaich, gu h-àraidh airson toll a chàradh no a chur air lot
boghadair	cuideigin a chleachdas bogha agus saighead ann an cath
cochall	an còmhdach tioram air sìol, no còmhdach de dh'aodach bog airson an ceann a chur am falach